LOS PECES DE LA AMARGURA

D1177942

colección andanzas

Libros de Fernando Aramburu en Tusquets Editores

FERNANDO ARAMBURU
LOS PECES DE LA AMARGURA

1.ª edición: septiembre de 2006
1.ª edición (reimpresión): septiembre de 2006
2.ª edición: octubre de 2006

Diseño de la colección: Guillemot-Navares
Reservados todos los derechos de esta edición para
Tusquets Editores, S.A. - Cesare Cantù, 8 - 08023 Barcelona
www.tusquetseditores.com
ISBN: 84-8310-345-1
Depósito legal: B. 45.610-2006
Fotocomposición: Foinsa - Passatge Gaiolà, 13-15 - 08013 Barcelona
Impreso sobre papel Goxua de Papelera del Leizarán, S.A. - Guipúzcoa
Impresión: Limpergraf, S.L. - Mogoda, 29-31 - 08210 Barberà del Vallès
Encuadernación: Reinbook
Impreso en España

Índice

Dedico este libro a la impureza

Los peces de la amargura

Fuimos Andoni y yo a buscarla a media mañana. Esto fue a finales de noviembre del año pasado. El día no podía ser más desapacible. Uno de esos días grises de lluvia, de viento racheado que lo mismo sopla de aquí que de allá. En días como ése uno mejor se queda en casa a menos que lo saque a la calle una obligación. En el momento de despedirme, le dije a mi Juani que a esta hija nuestra la persigue la mala suerte. Juani, en la cama con jaqueca, respondió que a ella también la perseguían la mala suerte y cosas peores. La enfadaba no poder acompañarme. Bueno, bueno, no te hagas mala sangre, le dije. Una jaqueca se pasa; en cambio, lo de la hija ya no tiene remedio. No hablamos más porque Andoni estaba esperándome abajo. Queríamos evitarle a la hija un viaje con sacudidas que le pudieran causar dolor. Por eso fuimos en el coche de Andoni, que era más cómodo que el mío. Yo a Andoni le tenía afecto. Chico callado, formal, trabajador. Todo lo que se diga es poco. Por la carretera del hospital, delante de un semáforo en rojo, me dijo de golpe: Jesús, mantengo mi promesa de matrimonio. Lo miré sin hablar. Él me miró igual. No sé por qué nos miramos. Después de unos segundos, no pude aguantarle la mirada. Entonces volví la cara hacia la ventanilla de mi costado. El viento inclinaba la punta de los árboles. Volaban las hojas de un lado para otro. Desde la víspera no paraba de llover. El resto del trayecto lo hicimos en silencio. Triste.

No la encontramos en la habitación. El corazón me dio un vuelco. Yo soy así. El miedo se me suelta enseguida. Y desde que sucedió aquello, no digamos. En el lugar donde la hija había estado penando durante seis meses, sin contar los días en la UVI, había ahora otra cama con otra paciente. Fuimos a preguntar. Nos dijeron que esperáramos al final del pasillo, que ya nos la iban a traer. Al rato vimos que aparecía por el fondo, sentada en una silla de ruedas. Mi hija. Llevaba un ramo de rosas blancas sobre el regazo. De algunas habitaciones salió gente a decirle adiós. La silla de ruedas la empujaba la enfermera esa de la que se había hecho tan amiga. A su lado venía otra que cargaba con las bolsas, el neceser y las muletas. Andoni se apresuró a hacerse cargo de los bultos. Oí a la hija advertirle que tuviera cuidado, que no dejara caer nada al suelo. Eso fue en el momento en que me acerqué a besarla. ¿La amá?, preguntó. Le noté en las mejillas más hueso que carne. Andoni y yo nos pusimos detrás de ellas para no cortarles la conversación. Como no cabíamos todos en el ascensor, él y yo bajamos por las escaleras. Aun así llegamos los primeros a la planta baja. Pensé que en adelante cada uno de nosotros tendría que apañárselas para acostumbrarse a la lentitud. La hija me pidió que le cogiera las rosas. A Andoni las enfermeras le mandaron acercar el coche a una entrada reservada al personal sanitario. No era aconsejable andar con la hija por medio del gentío que suele juntarse delante de la puerta principal. Por primera vez después de mucho tiempo la vi ponerse de pie. Mi hija de pie. Ya es desgracia que tenga uno que maravillarse de una cosa así. Y, sin embargo, me parecía estar asistiendo a un milagro.

14

La hija se apoyó en las muletas. Sentí un pinchazo por dentro al ver su fragilidad, sus delgadas manos sin fuerza. Mi hija, la única que tengo. Quieta, se dejó besar por las dos enfermeras. Hasta la próxima, les dijo en un tono que les cortó de golpe la sonrisa. ¿Qué iba a decir ella si más tarde o más temprano debía volver a que le retiraran los clavos de la pierna? Andoni cometió la indelicadeza de recordar a las tres mujeres, las tres al borde de las lágrimas, que estaba lloviendo. Buen chico, el Andoni. Tan bueno como grande, tan grande como torpe. La hija rechazó su brazo en el momento de tomar asiento en la parte trasera del coche. Como no lograba entrar me pidió a mí que la ayudara. Ya en la carretera que baja a la ciudad, la lluvia azotaba con fuerza el parabrisas. La hija protestó: Más despacio. Miré el indicador de velocidad. Íbamos a cuarenta por hora. A cuarenta y cuesta abajo. Andoni, obediente, redujo la marcha. A todo esto, se nos pegó detrás un autobús urbano. El conductor hizo una maniobra brusca para adelantarnos. Cuando pasaba por nuestro lado hizo un gesto ofensivo. Yo no lo vi, pero Andoni sí lo vio. Triste.

Al mar. Que quería ir al mar. Que llevaba varios meses con la ilusión de ver el mar. Le daba igual que lloviera. Otros hacen una promesa a Dios o peregrinan a Santiago. A ella se le había metido en la cabeza que si algún día lograba salir del hospital iría derecha a ver el mar. Andoni me miró como suplicándome que interviniese. Pregunté: ¿No prefieres que vayamos primero a casa a buscar un paraguas y una gabardina, y a ver a la amá, que te está esperando? Después de un rato de silencio, ella se limitó a decir que no necesitaba más de cinco minutos para cumplir el capricho. Encontramos el paseo marítimo desierto. Normal. ¿A quién se le podía ocurrir andar por aquel sitio tan expuesto a las inclemencias, con el tiempo que hacía y con la marejada que cada dos por tres levantaba una rociada de espuma hasta la carretera? Intentó abrir la puerta y no pudo. Aitá, dijo. Me hice el sordo para que fuera su novio quien la ayudase. Llovía menos, pero llovía. Pretendía ir sola a la barandilla. Andoni y yo dijimos que no. Aceptó que la acompañáramos a condición de que después nos apartásemos de su lado. Aún le faltaba práctica con las muletas. Le preguntamos si no le parecía mejor sentarse en el banco, desde donde tenía las mismas vistas que de pie. El banco estaba mojado. Andoni le trajo una manta. Ella se sentó encima. Por fin estaba sola frente al mar. Nosotros, dentro del coche, como a diez metros, esperábamos a que nos llamase. El salitre daña la carrocería. Pues sí, dije, y me callé. Pasaron cinco minutos. Pasaron más. Andoni se empezó a impacientar. Que sólo faltaba que pillase una pulmonía. Jesús, la que nos va a armar Juani cuando se entere. La hija llevaba un pañuelo anudado al cuello. Una punta le caía sobre la espalda. A veces venía una racha de viento y la punta se agitaba. A todo esto, la hija volvió un poco la cara para hablarnos. Andoni bajó la ventanilla. Las rosas. Que le lleváramos el ramo de rosas. Se lo llevamos. Con nuestra ayuda avanzó hasta la barandilla. Estaba todo el mar de color ceniza y blanco, con un desorden furioso de aguas. El cielo era una pasta de nubes sucias. Una a una ella fue tirando las rosas al fondo del acantilado. Tenía el pelo y la ropa empapados de lluvia y del rocío de las olas. Y nosotros, al poco rato, lo mismo. Cuando hubo tirado todo el ramo, respiró profundamente. Ahora sí, dijo, ahora a casa. Triste.

Se empeñó en subir sola la escalera. Andoni subió detrás, a un peldaño de distancia por si acaso. Menos mal que vivimos en el primer piso y no más arriba. La pierna izquierda la tiene curada; en cambio, la derecha nunca podrá apoyarla como es debido ni apenas doblarla por la rodilla. Le cuelga, eso es todo. Ella solía echar en cara a los médicos que no se la hubiesen amputado. ¿Para qué me sirve, decía, un miembro inútil que, encima, rara vez deja de dolerme? Una tarde llegamos Juani y yo al hospital y la pillamos en la cama escribiendo. Eso fue por los tiempos en que ya no la tenían colgada de la grúa. Mi hija. Ya se podía levantar; ya se ejercitaba un poco con las muletas. ¿Qué andas, de poesías? A mí me aguanta las bromas. A los demás no les consiente ni una. Pero yo soy su aitá y ella sabe que dentro de su aitá no hay sitio para las malas intenciones. Nos respondió que estaba escribiendo una lista de las cosas que nunca podría hacer. Vi que tenía la hoja llena. Empezó a leerla: Trabajar fuera de casa, volver a las clases de aeróbic, montar en bicicleta... Bueno, bueno, le cortó Juani, no hemos venido aquí a que nos deprimas. Yo reconozco que sí, que soy propenso al desánimo. Mi Juani es más entera. Se crece con los problemas, se enfada, nos estropea un poco la vida a los demás, pero sale adelante. Yo no se lo tomo a mal. Si quiere pegar gritos, que los pegue. Porque la verdad es que sin Juani y sin la energía y fortaleza de Juani estaríamos todos mucho peor. Cuando entramos en casa, se asomó en camisón a la puerta. Se notaba en las ojeras y en las arrugas de la frente que ese día le estaba pegando duro la jaqueca. La hija le dijo que se acostara, que ya habría tiempo más tarde para besos. Juani le preguntó con los ojos cerrados si venía con dolor. También con los ojos cerrados esperó la respuesta. Mi Juani habla con los ojos cerrados cuando se siente muy mal. A punto de retirarse, levantó un poco los párpados.

17

Lo suficiente para darse cuenta de que la hija venía mojada. Andoni empezó a balbucear una explicación. Le hice gestos para que se callara. Triste.

A la hija se le encendió la cara de gusto nada más entrar en su dormitorio. Habíamos dejado todo tal como estaba el día en que salió a sacar dinero de la caja de ahorros y ya no volvió. Se alegró del reencuentro con sus objetos personales. Desde el umbral nombró unos cuantos paladeando las palabras. Mis chinelas, decía en el tono ensimismado de quien habla a solas. Mi colcha de rayas. Mi espejo. Mi ordenador. Y cada vez que nombraba un objeto, a mí me parecía como si hubiera un temblor en el aire. Entró y los demás entramos en fila india detrás de ella. Nos estábamos acostumbrando a la lentitud. Con pasos inseguros se dirigió al ropero. Juani le abrió las puertas. La hija me entregó una muleta. De ese modo le quedó una mano libre para pasarla por sus chaquetas, sus blusas, sus zapatos repartidos por las baldas. Se estuvo mirando en el espejo. La pierna no se la miraba. En eso me fijé. Se miraba la cara sonriente. Guiñó un ojo y se sacó la lengua. Luego encontró sobre el escritorio una novela. Un calendario de bolsillo marcaba la última página leída más de seis meses atrás. Encontró asimismo unas flores resecas dentro de un vaso sin agua, regaladas alguna vez por Andoni. A mi Juani, entretanto, le pareció que había llegado el momento de sacar ropa seca del armario. Al momento se pusieron a discutir las dos mujeres. Andoni y yo nos marchamos a la cocina. A mí me gustaba Andoni para yerno por su tranquilidad. Me acuerdo de cuando compramos el sofá. Andoni lo subió solo desde la calle. El trasto cabía justo, justo, por el hueco de la escalera. Más tarde, yo intenté moverlo cuando nadie me veía. A duras penas conseguí despegarlo unos centímetros del suelo. Me parecía inconcebible que alguien pudiera tener tanta fuerza. Temí por la hija. Y, sin embargo, ella manejaba al fortachón como a un corderito. Haz esto, haz lo otro. Levántate, siéntate. Así a todas horas. Y el coloso, feliz. Será que la relación es mucho más fácil cuando uno manda y el otro obedece. Juani y la hija tienen demasiado carácter. Para ellas no hay diferencia entre conversar y discutir. Discuten hasta cuando están de acuerdo. Y no es que se lleven mal en el sentido de no quererse. Se quieren a rabiar. Pero tienen ese arranque autoritario que les impide dar el brazo a torcer. No tuve que hacerle una seña a Andoni. En cuanto empezaron las dos a llevarse la contraria salimos del dormitorio. Nos tomamos un café sentados a la mesa de la cocina. Jesús, me preguntó, ¿tú cuándo crees que nos podremos casar? Le dije: Ahora, difícil. Un rato después me preguntó si yo suelo tomar el café con mucho o poco azúcar. Yo lo tomo con bastante. Él, también. Eso fue todo lo que hablamos. Triste.

Pasé la tarde solo en el comedor limpiando el filtro del acuario, rellenando crucigramas y sopas de letras; en fin, matando el rato como acostumbro desde que me jubilé. En la vasca repitieron el partido de pelota de la víspera. Lo vi de nuevo, aunque sin sonido para no molestar. El viento soplaba en la calle con más fuerza que por la mañana. A veces las ráfagas de lluvia repiqueteaban contra los vidrios. Fuera estaba tan oscuro que antes de las cuatro tuve que encender la lámpara. Llevábamos largo tiempo soñando con la vuelta de la hija. El sueño por fin se había cumplido. Se supone que deberíamos estar todos dando botes de alegría. Sin embargo, el piso continuaba tan silencioso como desde hacía medio año. Quizá cuando Juani se recuperase podríamos celebrar el acontecimiento. De hacer algo juntos tendría que ser por la mañana para que Andoni también estuviera presente. A Andoni le tocaba esa semana turno de tarde. No le había quedado más remedio que irse poco después de mediodía. Lo acompañé hasta la puerta. Era tan alto que debía agacharse para no pegar con la frente en el dintel. Bueno, Jesús, dijo con aire mustio desde el descansillo. Me miró como esperando que yo añadiera algo. Agur, Andoni. Otra cosa no se me ocurrió. Cerré la puerta. A lo mejor pensó que le daba con ella en las narices, pero es que tenía una cazuela en el fuego. Mi Juani no comió. En cuanto vio a la hija con ropa seca se volvió a la cama. La hija se acostó a las dos. Casi no probó la comida. Estaba ella sentada ahí y yo aquí. Hundía el borde de la cuchara en la sopa. Sacaba lo justo para mojarse la punta de la lengua. Sorbes como un caballo, me reprochó. Al final empujó el plato casi lleno hacia un lado y comió sin apetito tres o cuatro granos de uva. Insistió en fregar los cacharros. No eran muchos. Intenté disuadirla. ¿Me consideras una inútil o qué? Bueno, bueno. Arrimé una banqueta al fregadero. La hija se sentó con mi ayuda. No me aparté de su lado mientras fregaba lo poco que había para fregar. ¿Ves como sí puedo? La espuma del detergente cubría sus manos delgadas. Las agujas del hospital le habían dejado marcas moradas en los dos antebrazos. La ayudé a bajar de la banqueta. Se tomó un analgésico, cogió sus muletas y salió de la cocina diciendo que se retiraba a su dormitorio a escuchar música y estar sola. Esto último lo entendí muy bien. Por la tarde, el teléfono sonó cuatro o cinco veces. Parientes y conocidos. Que qué tal. Bien, pero no se puede poner. Mi cuñada tocó el tema de empezar una vida nueva. Me apresuré a darle la razón para que se callara. También Andoni llamó, pero tarde, cuando estábamos cenando. La hija me pidió en voz baja que le dijera que aún no se había levantado. Transmití la mentira y colgué. Juani desaprobó aquella manera tan poco amable de tratar a un novio. Amá, no te metas. A Juani le dolía demasiado la cabeza como para enzarzarse en una discusión. Se calló y hubo paz. Les preparé pisto para cenar. La una: Cuántas veces te he pedido que cortes el pimiento en trozos más pequeños, ¿o es que crees que tenemos boca de elefante? La otra: Deja tranquilo al aitá, hace lo que puede. Poco después, mi defensora: Se te ha olvidado la sal, ¿verdad?, esto no sabe a nada. Juani: ¿Por qué no lo dejas ahora tú tranquilo? Y la hija: No se lo digo como crítica sino para que lo tenga en cuenta la próxima vez. En una de ésas, metí baza. Al momento me arrepentí. Les dije de buena fe, para reconciliarlas: Me gusta vuestra discordia, es señal de que os sentís mejor. La hija replicó que nadie contara con ella para formar un hogar feliz. La frase me dejó de piedra. No me la pude apartar del pensamiento en toda la noche. Por lo general, cuando Juani se acuesta yo ya duermo. Es raro que la sienta llegar. Esa vez me pilló mirando el techo. ¿En qué piensas? En nada. Apagó la luz. Ella tampoco podía dormir. ¿Todavía te duele la cabeza? Un poco. Al rato, en la oscuridad, dijo: Que se ande con cuidado si no quiere perderlo. Triste.

Una noche, la hija nos despertó. Faltaba semana y media para que los periódicos la describiesen como una mujer de veintinueve años que pasaba casualmente por el lugar de la explosión. Serían las tres o las cuatro, no estoy seguro. En realidad, a mí me despertó Juani de un codazo. Yo ni sentí a la hija llegar ni oí que había empezado a hablarnos con la cabeza metida por la abertura de la puerta. Entraba luz del pasillo. Jesús, dice ésta que se casa. Pregunté, medio dormido, que con quién. Juani se adelantó a la respuesta de la hija. Con quién va a ser, con el gigante. Se llama Andoni, precisó la hija desde la puerta. Se le notaba alegre. Eran otros tiempos. Pienso en el año pasado como si formara parte de una época antigua. Yo al menos me he hecho muy viejo en los últimos seis meses y pico. El hombre había venido un par de veces a casa. Pensábamos que sería un amigo de la cuadrilla, a lo mejor un compañero de trabajo. No se agarraban de la mano ni se besaban en nuestra presencia. Recuerdo la primera vez que hablé con él. Me vio en la sala, con la tapa del acuario levantada. Le estreché la mano. Una mano, sin exagerar, el doble de grande que la mía. ¿Qué, dando de comer a los peces? Pues sí. Estuvo un rato mirándolos sin hablar. De pronto enderezó el cuerpo y dijo: Bonitos. A partir de aquel instante me cayó simpático. Conque a mí me pareció bien que la hija se quisiera casar con él. Andoni tenía un buen puesto de trabajo, vestía y se comportaba con decencia, estaba pagando los plazos de una vivienda y encima había dicho que mis peces le gustaban. Para mí, el yerno ideal, y para Juani, lo mismo. Lo que pasa es que ella es como es, metete y discutidora, y necesita soltar la última palabra, se hable de lo que se hable. Mandó a la hija a dormir. Se conoce que no la creía. Mañana hablaremos. Que me caso, amá. No he bebido. Claro, claro, habrás estado toda la noche dale que te pego al agua bendita. Tercié: Enhorabuena. Juani se revolvió en la cama. De un tirón a la manta me dejó, como quien dice, a la intemperie. Tú estate calladito. Gracias, aitá. Fue lo último que dijo la hija antes de cerrar la puerta. El cuarto volvió a llenarse de oscuridad. Juani me imitó en son de burla: Enhorabuena, enhorabuena. ¿Te crees que ha ganado en una rifa o qué? ¡Si supiera ésa lo que es estar casada! Triste.

22

Desde la vuelta de la hija yo dedicaba más tiempo a los peces. Los había tenido bastante abandonados mientras ella estuvo ingresada en el hospital. Un día de tantos me levanté por la mañana y encontré seis o siete muertos. También el chupador, que alguna vez había sido mi pieza más preciada. Ahora había recuperado el interés por los peces y volvía a cambiarles el agua a menudo. Arranqué todas las plantas cubiertas de algas negras, puse otras nuevas, compré un chupador parecido al anterior y vertí en el agua un líquido que me recomendaron en la tienda de animales. La ocupación me entretenía, pero sobre todo era una manera de quitarme de en medio. Como lo ven a uno atareado lo dejan en paz. Nadie, además, ponía objeciones al acuario. De las visitas que pasaban al comedor, rara era la que no les dedicase a los peces un comentario elogioso. Mi Juani gusta de sentarse junto al acuario. Por lo visto, la proximidad de los peces y las plantas acuáticas la relaja. Y como los tubos fluorescentes que hay dentro dan una luz clara, que no hiere en los ojos, muchas veces se sienta allí con sus agujas y sus hilos. Yo estaba probando una de esas tardes lluviosas de finales del otoño un artilugio para limpiar los cristales por dentro. El chupador hace su parte, pero eso no basta. De pronto oí unos ruidos provenientes del cuarto de baño. Sonaban como a frascos rotos al estrellarse contra las baldosas. Enseguida me di cuenta de que aquello era intencionado. No por eso dejé de alarmarme. Juani había ido a la pescadería. Teníamos un convenio secreto para que la hija no se quedara sola en casa. Llamé con los nudillos a la puerta. Los ruidos cesaron al instante. Le pregunté si le pasaba algo. Entra, dijo. Hacía muchos años, desde que era pequeña, que yo no la veía desnuda. A su alrededor se esparcían trozos de cristal mezclados con toda clase de líquidos y sustancias viscosas. Había también recipientes de plástico, intactos. Me dio en la nariz un fuerte olor a productos de higiene. Reconocí mi espuma de afeitar en medio del estropicio. No te cortes, le dije. Estaba descalza, apoyada en las muletas. Su cara traslucía enfado. Con un giro brusco de barbilla señaló hacia la bañera. La había llenado hasta la mitad. Del agua se desprendía un tenue vapor. Me pareció extraño que tratara de bañarse no estando su madre en casa. Por la mañana había tenido, además, su sesión de rehabilitación y yo sé que en esos casos siempre se duchaba antes de ponerse en camino. Aitá, méteme en el agua y limpia esto. No fue una orden estricta. Fue un ruego envuelto en una voz brusca. Tiró llena de rabia las muletas al suelo antes de rodear mi cuello con sus brazos. La levanté con cautela. Pesaba poco. La introduje en el agua. De la cocina traje el cepillo, el recogedor y una bolsa de plástico. Mientras limpiaba el suelo yo evitaba mirar a la hija. No sé, me daba apuro. Me lo reprochó. ¿Por qué no me miras? La miré, pero no la veía. Estaba delante de mí, dentro de la bañera, con el agua hasta la cintura y, sin embargo, yo tenía la sensación de poder ver los azulejos de la pared a través de su cuerpo. Aitá, eres demasiado bueno. Me encogí de hombros. ¿Qué le iba a responder? Cuando terminé de limpiar volví a mis peces. Largo rato después me llamó. La saqué de la bañera. Acto seguido la tuve que secar. La sequé sin tiquismiquis ni pudores, de arriba abajo, como ella quería. Por lo visto, aún tenía el pelo mojado cuando llegó Juani. La puerta del comedor estaba abierta. La oí renegar: No me digas que has vuelto a ducharte. ¿Sola? Huele a perfume de baño hasta en el portal. Y echándome a mí la culpa: Ése te habrá llenado la bañera de sales. Triste.

Lo intentamos tres veces. La idea me pareció disparatada desde el comienzo; pero como había partido de Juani hubo que llevarla a cabo. La primera vez fue el domingo anterior a la Navidad. Acabábamos de comer. La mesa estaba recogida. Nos disponíamos a compartir una docena de pasteles. Eran obsequio de Andoni para celebrar su reciente cumpleaños. Entre semana había cumplido treinta y dos. Mientras servía el café, Juani les preguntó si pensaban salir. Andoni miró a la hija y la hija andaba remolona y más bien con ganas de quedarse en casa. Que si la pierna, que si el mal tiempo. Empezó un rifirrafe entre las dos mujeres. Aquí te vas a oxidar como un hierro viejo. Como lo que soy, amá. Intervine con la primera ocurrencia que me acudió a la lengua. ¿Por qué no vais al cine? A Andoni se le alegró el semblante. Echaban una de risa, dijo. No se ponían de acuerdo y me fui a la cama. Al levantarme de la siesta supe que la hija había cambiado de opinión. La pareja estaría de vuelta a las nueve. A las nueve menos veinte, Juani me metió prisa para que me cambiase de ropa. Nos íbamos. Mientras bajábamos por la escalera le pregunté adónde. Pronto lo sabrás. No me di por satisfecho. Me contestó que había dejado una nota encima de la mesa de la cocina para que la hija no se preocupase. Nada más salir a la calle me tuve que agarrar la boina. Soplaba un viento de cuidado. A Juani se le dobló el paraguas y lo tuvo que cerrar. Había oscurecido. A la luz de las farolas, las gotas de lluvia caían como disparadas, a veces casi horizontales. Andaba poca gente por las aceras. Cerca de nuestro portal hay una cafetería, pero cierra los domingos por la tarde. Jesús, habrá que buscar un escondite. Me puse serio: Ya me estás explicando para qué me has hecho salir o me vuelvo a casa. Antes de las diez no vamos a volver, así que calla y sígueme. Nos resguardamos en el porche que hay al lado de la farmacia. Como el sitio hace esquina, había mucha corriente. El frío se nos colaba por dentro de la ropa. La única ventaja era que estábamos a salvo de la lluvia. Me voy a perder el partido de pelota. Juani no me escuchaba. De vez en cuando sacaba la cabeza entre las columnas para mirar en dirección a nuestro portal. Pasadas las nueve, los vimos llegar. Andoni se apeó del coche, pasó al otro lado y ayudó a la hija a salir. Con la gabardina hizo una especie de techo para que la hija no se mojase. Hombre atento, el Andoni. Con sus muletas y sus dificultades para desplazarse, la hija desapareció dentro del portal. Al rato se encendió la ventana de su cuarto. Fue entonces cuando mi mirada y la de Juani se encontraron. No le quise preguntar. ¿Para qué? Su cara hacía inútil cualquier aclaración. Estábamos de acuerdo en que la hija no debía quedarse sola en casa. Por si no se podía valer. Por si se caía. Ahora era distinto. Estaba con Andoni. Y había luz en el cuarto. Intenté imaginar lo que estaría sucediendo allá arriba. Juani me sacó de mis cavilaciones. Ponte ahí detrás. Con uno que mire, basta. Transcurridos apenas cinco minutos desde que se había encendido la luz, Andoni salió del portal. Nos escondimos detrás de una columna para que no nos viera al cruzar por delante con el coche. Juani no podía disimular su decepción. Subimos a casa enseguida. Hemos venido antes de lo que te he puesto en la nota, dijo. ¿Qué tal la película? ¿Y Andoni? La hija respondió con sequedad: Se ha ido. ¿Os habéis enfadado o qué? En absoluto. Hemos pasado una tarde agradable. Juani dijo que Andoni se podía haber quedado a cenar. Amá, sabes de sobra que mañana es día de trabajo. La segunda vez fue después de Navidad. Un jueves. Ocurrió más o menos lo mismo, con la única novedad de que habían discutido entre ellos y Andoni sólo la acompañó hasta la puerta del piso. La ayudó a entrar y se fue. Esa tarde también llovió, pero por fortuna pudimos meternos en la cafetería. La tercera vez, a principios de año, encontramos a la hija ojeando una revista en la cocina. Andoni estaba tumbado en el suelo del cuarto de baño. A su lado se veía mi caja de herramientas y una palangana llena hasta la mitad de agua turbia. ¿Qué haces? Había desatascado la tubería del lavabo. Ya sólo le faltaba apretar las tuercas de ajuste con la llave inglesa. Me podías haber dejado a mí. Tranquilo, Jesús. Juani y yo no lo volvimos a intentar. A mí la idea aquella me parecía un disparate. No lo quise decir porque, conociendo a mi Juani, tratar de abrirle los ojos habría sido una pérdida de tiempo. Que se desengañe sola, pensé. Triste.

Oímos el estruendo desde casa. Yo estaba limpiando de caracolillos el acuario. Temblaron las paredes. El perro de la vecina se puso a ladrar. Juani, que se estaba preparando para ir a su misa del sábado, en los jesuitas, no lo dudó: Eso ha sido una bomba, pon la tele. Había programación normal. Al poco rato oímos, un poco lejos, sirenas de ambulancia. Hacía un día espléndido de primavera. Escuchamos las primeras noticias del atentado en una emisora local. El locutor hablaba de víctimas mortales, no decía cuántas, y de varios heridos, algunos de gravedad. Cuando tuvimos conocimiento del lugar de la explosión, le pregunté a Juani adónde había ido la hija a sacar dinero. Si ha ido a un cajero de la central, me contestó, a lo mejor ha visto algo. Ya nos lo contará cuando vuelva. No volvió. Casualidades de la vida: una prima de Andoni prestó el pañuelo de cuello con que le hicieron un torniquete a la hija. Entre sí decía, según nos contó más tarde: Yo a esta chica la conozco. La hija estaba todavía consciente. Antes que se la llevara la ambulancia, Andoni supo lo ocurrido. Su prima lo había llamado por teléfono y él nos llamó a nosotros. Juani ya estaba vestida con ropa de calle; yo salí con lo puesto. Me sentía incapaz de conducir. Estábamos tan nerviosos que ninguno de los dos consiguió cerrar con llave la puerta de casa. La vecina nos pidió un taxi. Su perro había salido al descansillo. Un collie que, por lo general, da poca guerra. Nos ladraba sin acercarse a olernos como es su costumbre. Mi hija. La estaban operando de urgencia. Al cabo de largo rato mandaron a una enfermera a comunicarnos que el equipo médico estaba haciendo lo posible por salvarle la pierna derecha. De momento, dijo, lo que más nos preocupa es la pérdida de sangre. Tenía, además, otras heridas, aunque de menor gravedad. No nos movimos de aquella sala donde nos pidieron que esperáramos. Había en el techo una lámpara. Yo todavía sueño con ella por las noches. Era una lámpara sin nada especial. Las he visto a centenares por todas partes, pero sólo aquélla se me quedó marcada en la memoria. Anochecía cuando vino uno de los cirujanos. Nada más verle el gesto, me dio un escalofrío. En su opinión, el caso se presentaba difícil, pero afortunadamente no había órganos vitales afectados. En la cara de Juani vi el mismo alivio que me recorría por dentro. La hija vivirá. El problema se concentraba en una pierna. Habrá que volver a operar. Eso seguro. Otras heridas de escasa importancia habían podido tratarse con puntos de sutura. Teníamos los tres cara de alelados. Nos mirábamos y mirábamos al personal sanitario que iba y venía por el pasillo, como esperando que alguien entrara a decirnos que no había motivo para estar preocupados. Ustedes se han metido en un sueño, en un mal sueño, eso es

28

todo. Pero tranquilos, porque nada de lo que están viendo y sintiendo es verdad. Nos dieron una bata verde a cada uno y unas fundas para los zapatos. Nos llamaron y entramos. No dejaban entrar a más de dos a la vez. Me salí enseguida para que Andoni también pudiera verla. Y porque se me hundió el alma cuando vi a la hija en aquel estado. No se le podía hablar. Estaba inconsciente. Mi hija. Le dije a Andoni que lo esperaba en la cafetería. Por el trayecto me retiré a unos servicios a llorar. Mi problema es que nunca he aprendido a desahogarme en silencio. Juani sí puede; yo, no. Ella está llorando y, como no la mires, no te enteras. A mí, en cambio, me salen unos hipos como de crío. No lo puedo evitar. Conque, mientras subíamos por la carretera del hospital, me previno: Si notas que te emocionas te vas corriendo al servicio, a mí no me montes el numerito, ¿eh? Y eso hice. Me sequé las lágrimas con papel higiénico. También Andoni tenía los ojos rojos cuando llegó a la cafetería. Parece que dentro de lo que cabe ha habido suerte. Jesús, me respondió clavándome una mirada seria, a otros les pilló la bomba más cerca y no les pasó nada. Ésos sí han tenido suerte. No parábamos de dar vueltas con la cucharilla al café. Algún trozo del coche le llevó la pierna. Era lo que suponía el médico. Por la misma razón había muerto un transeúnte, un señor mayor, sin contar los que iban en el coche. Tendréis que posponer la boda. Pues sí. Llevábamos como dos o tres minutos sin parar de dar vueltas a la cucharilla. Triste.

Entró una tarde en el comedor. Faltaba poco para que acabase el invierno. En el aire flotaba ya ese olor tan rico del mar que anuncia la primavera. Se nota incluso dentro de las habitaciones. Una ventaja de vivir en la costa. Le propusimos a la hija solicitar al Gobierno Vasco una silla de ruedas. Si no nos la proporcionaba la compraríamos nosotros. Se enfadó. El trasto se le figuraba un estorbo. Con las muletas podía subir y bajar bordillos, entrar en los cines, viajar con mayor facilidad en el autobús. Que si se nos había aflojado un tornillo. Mi Juani sospechaba que a la hija le daba vergüenza que la viesen en silla de ruedas por la calle. Insistió en que la silla la ayudaría a moverse mejor por la casa. La hija se opuso. Que no era una paralítica. Que si empezaba a vivir sentada, las piernas se le iban a volver de trapo. Que ya dependía demasiado de nosotros como para esperar que encima la empujáramos de aquí para allá. Su madre le dijo: Tienes un orgullo que te lo pisas. La hija siguió con sus muletas. Había aprendido a manejarse bastante bien con ellas. A fuerza de usarlas se le habían fortalecido los brazos. En la cara tenía mejor color. Lo malo era que el médico le había insinuado recientemente que convendría tal vez intentar una nueva intervención quirúrgica. A la hija se le veía la preocupación en los ojos. Dormía mal. Según Juani, andaba de noche por la casa. Ésa no se aguanta de dolor, me susurraba. De día le notábamos el entrecejo arrugado. Aquella tarde que entró en el comedor me sorprendió que mostrara interés por el acuario. Sin embargo, allá estaba mirando atentamente lo que yo hacía. Me preguntó qué función cumplía la pastilla. Le dije que era la comida del chupador. Ahora anda por ahí escondido. Es muy cobarde. Pero la encontrará. Siempre la encuentra. Ya pronto iba a hacer un año. La hija quiso saber dónde estábamos cuando sonó la explosión. Juani y yo nos tenemos prohibido sacar el tema. ¿Dan en la radio o en la televisión la noticia de un atentado? Nosotros, ni media palabra. ¿Captura la policía un comando? Lo mismo. La hija, en cambio, habla de la tarde de su desgracia cada vez que le viene en gana. La tarde que fui a sacar dinero, suele decir. Le respondimos que habíamos oído el estruendo desde casa. Sí, pero desde qué sitio de la casa. Juani ni se acordaba ni quería acordarse. Yo estaba con mis peces. Aitá, tú y tus peces. Juani le saltó como una gata: Mejor que se entretenga con los peces que yendo a los bares. La hija se descolgó con una de sus réplicas: A mí me dan a escoger entre ser un pez en el acuario del aitá y ser lo que soy, y no lo dudo un instante. Como de costumbre, algunos peces nadaban cerca de la pastilla caída sobre las piedras del fondo. La olían sin llegar a mordisquearla. La pastilla es para el chupador y ellos lo saben. A la hija se le soltó la risa. La pastilla, el chupador, decía. ¡Hay que ver lo fácil que lo tienen algunos para ser felices! Le entró capricho por saber cuál de los peces creía yo que podía ser ella si ella fuera uno de mis peces. No la entendí a la primera. Me gustaba tanto verla sonreír que le seguí el juego. Por la parte de arriba, cerca de la superficie, nadaba un molly blanco, el único que me queda de esa clase. Había nacido en el acuario. Un día, hace lo menos tres años, fui a limpiar el filtro y encontré dentro dos alevines, uno que ya murió y ése. Sus progenitores tampoco sobrevivieron a los meses en que descuidé el acuario. Aunque pequeño, puede que sea el pez más viejo de cuantos me quedan. Tú eres el blanco. ¿Por qué el blanco? Nunca he sido especialmente ingenioso. Me encogí de hombros y le dije: Eres el blanco, no hay más que hablar. Desde aquella tarde se acercaba al acuario con más frecuencia que en tiempos anteriores. ¿Dónde estoy que no me veo? Lo preguntaba con la cara casi pegada al cristal. La llenaba de contento descubrir al molly escondido entre las plantas. Lo saludaba, se dirigía a él con su propio nombre, le decía cosas por lo general graciosas. También le decía que le daba pena su soledad. Triste. Al otro lado del río hay una tienda de animales donde nunca he comprado nada. Fui el otro día, un poco por curiosidad, un poco por comparar los precios. En la planta baja tienen un surtido abundante de libros. Me gustó uno con muchas ilustraciones, sobre plantas de acuario. Lo devolví a la balda después de comprobar lo que costaba. Había que preguntarle a Juani. Ella es la que se encarga del dinero. De vuelta a casa, al cruzar el puente, lo vi venir. Con semejante estatura es difícil que uno no se fije en él. Nos encontramos hacia la mitad. Llevaba bastantes días sin verlo. Supuse que estaría liado con el trabajo o con el arreglo del piso. Me preguntó qué tal. Tirando, le dije, ¿y tú? Ya ves. Nos quedamos en silencio. La mujer cogida de su mano vestía unos pantalones ceñidos. A pesar de los tacones no llegaba con la cabeza a los hombros de Andoni. No me la presentó. Bueno, a seguir bien, les dije. Me volví a mirarlos desde el final del puente. Para entonces ya habían alcanzado la franja de jardín que precede a las casas. La mujer tenía buena planta. Pronto los perdí de vista. Juani me dijo que ni hablar. Le parecía muy caro. Agregó que de momento tenemos otras necesidades. La hija nos oyó y vino a la cocina. He presenciado incontables discusiones entre ellas. Ésa, en concreto, me desagradó más que otra ninguna. Me asusté de las miradas que se echaban y del tono de sus palabras. Un tono agrio, un tono feo. Intervine para decirles que no merecía la pena pelearse por un simple libro. Juani me contestó: Si tanto te interesa apunta el nombre en un papel y esperas hasta Reyes. La hija salió de la cocina. La contera de goma de sus muletas producía un ruido de ira a cada contacto con el suelo. No te preocupes, aitá, dijo desde el pasillo. Yo te lo compraré. Mi hija. Me puse a secar con un trapo la vajilla del escurreplatos. Nadie me lo mandó, pero yo soy así. Preveía el rapapolvo inminente de Juani. Terminó de fregar. Con el rabillo del ojo la vi secarse las manos en el delantal. Bajó la voz para decirme: ¿Te das cuenta de la que has armado? No tenemos lavaplatos ni microondas, y tú todavía te empeñas en comprar libros. Volví la cabeza para asegurarme de que la hija no nos escuchaba. En susurros mencioné mi encuentro con Andoni por la mañana. Y con su acompañante. Sí, cogidos de la mano. Juani adoptó un tono natural de voz. Jesús, me dijo, te pasas el día con tus peces, tus sopas de letras y tus partidos de pelota, y no te enteras de lo que ocurre a tu alrededor. Andoni y la hija habían decidido de mutuo acuerdo poner fin a su relación. Pero... ¿tú lo sabías?, le pregunté. Claro que lo sabía. Lo sabe todo el mundo, dijo, menos tú. Había tenido que avisar a los parientes para que no compraran los regalos de boda. Me callé. ¿Qué iba yo a decir? Continué secando la vajilla. Juani se fue a la cama. Al parecer le estaba empezando otra jaqueca. A mí Andoni me caía simpático. No creo que haya muchos como él. Estoy seguro de que habríamos congeniado. Ahora me tendré que hacer el ánimo de que no vendrá a nuestra casa. Bueno, a lo mejor viene alguna vez de visita. Era una persona excelente, pero hay cosas que no pueden ser. ¿Para qué darles más vueltas? Colgué el trapo húmedo en la escarpia. Me remordía la conciencia el asunto del libro. En el fondo me puedo pasar sin él, puesto que tengo el acuario lleno de plantas. Incluso debería arrancar algunas para hacerles más sitio a los peces. Decidí ir al comedor a pedirle a la hija que no me comprara el libro. El precio era una exageración. Me paré en seco antes de entrar. A través de la puerta cerrada se oía la voz de la hija. Ven a saludarme, no me dejes aquí sola. En lugar de echar una cabezada en el sofá me fui a la calle. Pensaba aprovechar el buen tiempo para dar un paseo hasta la playa. No llegué lejos. En el porche, al lado de la farmacia, me tropecé con la vecina. El collie se acercó con el propósito evidente de que le acariciara el lomo. Jesús, me dijo ella, ¿adónde vas en zapatillas? Me miré los pies sorprendido. Me vinieron tentaciones de inventar una excusa, pero para qué. Volví a casa con la vecina y su perro. Ya no me acuerdo de qué hablamos. Supongo que sería de algo triste.

Madres

Ésta era una mujer de treinta y cinco años que se llamaba María Antonia, aunque sus conocidos preferían llamarla Toñi. Vivía en un pueblo costero de la provincia de Guipúzcoa y su marido trabajaba de guardia municipal en la localidad hasta que una noche, entrando el otoño, lo mataron. El matrimonio tenía tres hijos que ahora ya son grandes, pues ha llovido mucho desde entonces, y ninguno de ellos reside hoy día en el pueblo, tampoco la Toñi, que es de quien yo he venido a hablar.

Pues la Toñi estaba un día en su piso de alquiler, en un bloque de viviendas de la parte alta del pueblo, desde donde se veía el mar hasta muy adentro, hasta donde los barcos no abultan más que la cabeza de un alfiler. Llevaba largo rato plancha que plancha delante de la puerta acristalada de la terraza. A veces se distraía mirando el mar unos segundos. Aquel paisaje de rocas con espuma, de aguas anchas y cielo atravesado por aves blancas y chillonas le traía a la memoria el de la costa de su Galicia natal, y por eso, en momentos de soledad, le causaba gusto contemplarlo.

Sonó el timbre hacia las once u once y media de la mañana. Los niños estaban en el colegio salvo el menor, que aún dormía en la cuna. El marido, de servicio, hacía el tráfico por las calles del pueblo. La Toñi desenchufó la plancha por prudencia. Fue a abrir y abrió y se encontró en el descansillo a una señora vestida de negro con la que en dos o tres ocasiones había mantenido un poco de conversación en la carnicería.

Aquella mañana la señora traía malas cejas. Al hablar parecía como si mordiese las palabras:

–Dile a tu marido que deje el puesto y se vaya. Si no, le tendrás que ir preparando la capilla ardiente y no te lo digo más. Ya estáis avisados, sinvergüenzas.

La Toñi se quedó callada, pensando: «Menos mal que no he dejado la plancha encendida». La otra también guardaba silencio. ¿Esperaba una respuesta? En cada pupila se le había parado una chispa furiosa. Tenía, además, el labio de arriba torcido hacia un costado, como cuando uno le pone cara de asco a una cosa. No sé si me explico bien.

De pronto la señora cayó en la cuenta de que con la punta de un zapato estaba pisando el felpudo. Rápidamente echó el pie hacia atrás. A la Toñi aquel detalle le dolió más que la amenaza.

–Oye –dijo en tono amable–, ¿te hemos hecho algo? Porque si te hemos hecho algo yo te pido disculpas ahora mismo.

–Tu marido es un español de mierda. ¿Te parece poco?

–¿Por qué no hablas con él y se lo dices? ¿O es que le tienes miedo?

–¿Miedo yo a ése? ¡Para lo que le queda de vida! Te lo digo a ti y no te lo voy a repetir. Largaos a vuestra tierra si no quieres que a tu marido lo saquen con los pies por delante.

Nada más irse la señora, salió al descansillo la vecina de enfrente, que era como una hermana para la Toñi. Había estado escuchando la conversación detrás de la puerta de su vivienda.

–A mí me dice eso que te ha dicho a ti y la tiro por las escaleras, fíjate.

–Pero tú eres de aquí. Mira, sería una pelea entre vascas. En cambio, si lo hago yo, ay, me pondrían de asesina para arriba. Me harían la vida imposible.

–Para mí que la ha trastornado la pérdida de su hijo.

–¿Cómo? ¿Ésa es la madre del chaval que murió el viernes?

–Murió o lo mataron. Así que haced el favor de andar con mucha cautela.

De nuevo en su piso, la Toñi siguió planchando junto a la puerta de la terraza. Ahora ya no se acordaba de mirar a ratos el horizonte marino. Ahora estaba dándole vueltas al suceso que había roto la paz del pueblo durante el último fin de semana. ¿Sería más justo decir trágico accidente, como querían unos, o crimen, como querían otros? Que cada cual escoja según su conciencia. Las palabras no van a sacar al muerto de la tumba. Tampoco le van a sacar a su madre, si aún vive, la espina que le quedó clavada. ¡Menuda desgracia perder a un hijo! A un hijo, además, en la flor de la vida. Porque ¿qué tendría ese pobre chico, diecinueve, veinte años?

La Toñi no sabía del asunto sino lo que contaron por aquellas fechas los medios de comunicación. Las declaraciones públicas de algunos políticos la dejaron de una pieza. Uno que habló por la radio dijo que no justificaba la venganza, pero que la comprendería en caso de que se produjese. Esa misma tarde, un portavoz ministerial insinuó que el muerto se había buscado su propio castigo. Por el barrio de la Toñi (en realidad, por todo el pueblo) corrían rumores envueltos en sospechas que nunca se pudieron demostrar. Lo que nadie negaba era que el joven volvía a las tantas de la noche de una fiesta con amigos. La cuadrilla se dispersó en la plazoleta que hay detrás de la iglesia. Cada cual tiró para su casa y él también. Hasta ahí coincidían todos los testimonios. Ahora, desde que el joven se marchó solo por las calles vacías hasta que amaneció con el corazón reventado por un balazo se extiende un misterio que para qué. Dicen que si vendría bebido. Un vecino de la zona aseguró que antes del disparo había oído desde la cama pasar a un mozo cantando. Por lo visto, el joven se paró a orinar contra la pared del cuartelillo y se puso a dar voces o algo hizo, esto no habrá nunca quien lo aclare. Un guardia civil salió a llamarle la atención. En su declaración, el guardia dijo que el joven empezó a insultarle y que sin más ni más se le echó encima. Puede que sí, puede que no. Total, que se produjo un forcejeo. Durante la pelea al guardia civil se le disparó el arma reglamentaria. Eso es lo que sostiene la versión oficial. El ayuntamiento declaró tres días de luto. Hubo manifestaciones de protesta. La gente cerraba las ventanas para que no entrasen en los pisos los gases lacrimógenos ni el tufo a ruedas quemadas. Vino mucha policía de San Sebastián. Aquello parecía la guerra. A una chica francesa que no tenía nada que ver con el jaleo la hirieron de bala en el vientre. Creo que no murió. Digo yo que si hubiera muerto se habría sabido. Al atardecer unos chavales con las caras tapadas rompieron escaparates, cortaron la autopista y en el muelle prendieron fuego a un camión de pescado, dicen que porque tenía una pegatina con la bandera de España en el parabrisas.

A la Toñi aún le quedaba una pila de ropa arrugada encima del sofá. Así y todo desconectó la plancha. Un pensamiento que le vino de pronto la empujó a salir a la terraza.

Haría cosa de cinco minutos que la señora se había marchado. Con un poco de suerte aún no habría doblado la esquina de la calle. En caso de verla, la Toñi bajaría corriendo a hablarle con el corazón en la mano. Bueno, con el corazón en la mano, no, porque esa forma de expresarse le recordaría a la señora el disparo en el corazón de su hijo; pero vamos a poner que bajaría a decirle con sinceridad que sentía mucho lo que había pasado, que comprendía su dolor de madre pues también ella tenía hijos y si perdiese uno, ¡Dios no lo quiera!, se volvería loca. Esto último quizá era mejor no decirlo, pensó, pero sí que a su marido no se le podía culpar de lo ocurrido; que, aunque él tenía sus ideas como otros tienen las suyas, sólo se dedicaba al tráfico y a ayudar a los demás, y que por favor viniese un día a tomar café con ellos, o a comer, o a lo que fuera, para que comprobase que eran gente honrada, incapaz de hacerle daño a una mosca.

La Toñi no vio a la señora en la calle. Se le figuraba que no había podido ir lejos en los pocos minutos transcurridos desde su marcha. Le vino entonces la idea de buscarla por las tiendas de los alrededores. Con ese propósito se dirigió a un armario empotrado en la pared del recibidor donde se guardaban los zapatos de toda la familia. A punto de calzarse, sintió los gemidos de su pequeñín en la cuna. El reloj de la sala le confirmó que era la hora de darle el biberón al niño. Tampoco es que a la Toñi le importase demasiado dejar la conversación con la señora para otro día. Incluso, pensándolo bien, ¿no era eso lo más conveniente? Porque si le hablaba enseguida la habría de encontrar de seguro con el mismo mal genio que hacía un rato, mientras que, si esperaba un tiempo, a lo mejor la pillaba serena y así podrían las dos entenderse como seres ci-

41

vilizados. ¿Que resultaba que no? Pues mire usted, señora, cada cual en su casa y Dios en la de todos.

Unas horas después, el marido de la Toñi volvió del trabajo. En el portal abrazó a su hijo de once años y a su hija de nueve. Los niños acababan de salir de casa cargados con los bártulos del colegio. La Toñi se había asomado al hueco de la escalera para verlos bajar. Oyó la voz de su marido, una voz gruesa, salida de una garganta potente, y decidió esperarlo de codos en el barandal. Al principio sólo veía de él una mano. Después vio una hombrera del uniforme; a continuación, la cabeza poblada de pelo oscuro, y se dijo para sí: «¡Lo bien formado que está este hombre! Será porque una lo cuida como Dios manda». A su llegada, ella le ofreció como de costumbre la mejilla. Desde la época ya lejana de noviazgo le agradaba el cosquilleo que le producía en la cara el bigote de su marido. Él la rodeó con sus brazos robustos y, echándosela al hombro como si fuera un saco, la metió en casa.

En el recibidor, la Toñi le ayudó a desprenderse de la chaqueta. Mientras la colgaba en una percha le vino al recuerdo la visita de la señora.

—Tú no hagas caso —dijo él con un gesto como de quitar importancia a lo ocurrido—. ¿Qué hay para comer? Vengo con un hambre que no veas.

Sentado a la mesa de la cocina, el marido levantó la tapa de la cacerola y estuvo unos instantes oliendo con gusto el vapor que desprendía el cocido de garbanzos.

—Era la madre del chaval que murió delante del cuartelillo.

Al marido la revelación no le hizo el menor efecto. Tranquilamente se sirvió cocido con el cucharón hasta casi colmar el plato. Tras remangarse la camisa, arrancó un pedazo de la barra de pan. Sacó una bola de miga, la untó en el caldo y, para mejor saborearla, se la metió en la boca despacio. Frente a él, la Toñi esperaba una contestación meciendo al pequeño en sus brazos. El marido aún tomó un sorbo de vino con gaseosa antes de opinar que la señora aquella no debía de andar bien de la cabeza. Bueno, él lo que dijo fue que no debía de andar bien de la *gambara*, pues de tratarse con la gente del pueblo se le pegaban palabras del vascuence.

–Ésa te quería asustar. Después de lo del hijo les habrá cogido manía a los uniformes. En serio. Ésa se vuelve *chorúa* sólo con ver la gorra de un guardia. Encima sabe que eres la amá de tres críos preciosos y no lo aguanta. ¿Cómo chafarte entonces la felicidad? Viene cuando yo estoy de servicio a meterte miedo y con eso se queda contenta. Ahora, lo mismo que ha venido aquí te apuesto a que ha estado en otras casas del pueblo. Ésa está para que la aten con cuerdas a la cama. Así que tú tranquila, *polita*. Ya se le pasará.

Y siguió comiendo con buen apetito. De vez en cuando levantaba la cara del plato y hacía muecas o simulaba eructos que arrancaban risas al bebé. Acabada la comida, se acercó a dejarle un beso cosquilleante a la Toñi en la nuca. De paso le pidió que no hablara con nadie de las amenazas de la loca, ni siquiera con la vecina de enfrente. Uno nunca sabe, dijo, y lo mejor era no dar que hablar.

Pasaron dos semanas. El alcalde disparó el cohete que anunciaba el comienzo de las fiestas patronales. El pueblo se llenó de visitantes. Ya el primer día se produjo la discordia anual por la cuestión de las banderas en el balcón del ayuntamiento. Que si la española no, que si sólo la ikurriña. Que o las dos o ninguna, como manda la ley. Total, que, para ahorrar problemas, se decidió dejar los mástiles desnudos. Pero ¿quién era el guapo que se atrevía a retirar la ikurriña que los abertzales habían izado a primera hora de la mañana? Al marido de la Toñi no le importaba exponerse. Si había que hacerlo se hacía. Así era él y por eso le encargaban tareas que otros rehuían.

Mientras manejaba las cuerdas en el balcón, los chavales, desde la plaza, le dieron una pita de aúpa. Lo llamaron de todo. Hubo quien le tiró una piedra del tamaño de una manzana, que si le pega en la cabeza estoy segura de que lo deja seco. Para él lo peor fue más tarde, por el camino de vuelta a casa. A la entrada del barrio lo paró uno que también era guardia municipal y con el que se llevaba bien, por lo menos hasta aquel momento. Lo estaba esperando en la acera, sin uniforme. Y bueno, ya les digo, se le puso delante con los puños cerrados. Pegarle no habría podido, pues ¡menuda corpulencia tenía el marido de la Toñi! Pero lo insultó a base de bien, todo lo que les diga es poco, con unos gritos que atraían curiosos de todas partes. Nadie, ni en la calle ni en las ventanas, abrió la boca para defender al marido de la Toñi. El hombre llegó a su casa pálido. La Toñi barruntó enseguida que un disgusto lo mordía por dentro, por más que él se empeñara en negarlo. Hasta bien entrada la tarde no logró ella sonsacarle detalles. Los niños volvieron del colegio a la hora de costumbre. Enseguida la casa se llenó con sus voces y sus risas. Al verlos se conoce que a él le vino el instinto de preservarlos del peligro. Entonces, sentado a la mesa de la cocina, le entró la llorera y se sinceró. La Toñi lo convenció para que pidiera la excedencia y se fueran los cinco a vivir un año en Corcubión, en casa de sus padres.

–Un año –le dijo, acariciándole con ternura la barbilla–. Dejamos que se calmen las aguas y después, si nos apetece, volvemos. ¿Qué respondes?

Dijo que necesitaba unos días para pensárselo; que tomar semejante decisión no era tan fácil como ella creía, y menos teniendo tres hijos; que primero quería asesorarse con sus superiores. Y ya casi se olvidó del asunto, hasta que al cabo de un tiempo participó en el registro de un piso donde encontraron papeles de un colaborador de ETA con listas de nombres entre los que figuraba el suyo. Eso lo empujó finalmente a pedir la excedencia. Bueno, eso y que le pareció que lo seguían por la calle, de manera que un día iba a trabajar por una ruta y otro día iba por otra porque no se fiaba. Sin embargo, desde el portal hasta la primera bifurcación había como setenta u ochenta metros y ahí lo atraparon. Llevaba su arma, pero de nada le sirvió.

A la salida del funeral, el gobernador civil se acercó a la Toñi para susurrarle al oído, cuidando de que ninguno de los que estaban allí al lado se enterase, que pasara al día siguiente por las oficinas del Gobierno Civil a recoger un cheque que tenía preparado para ella. Y añadió, haciendo un ademán de confidencia:

–María Antonia, éstas son cosas oficiales, ¿me comprende? No hace falta que se lo cuente usted a nadie.

La Toñi se negó en redondo a que la llevaran en coche a su casa. ¡Pues eso faltaba! Llovía sin parar. Unos conocidos insistieron en prestarle un paraguas. Ella lo rechazó. No quería sino perder de vista cuanto antes a toda aquella gente de luto. Mejor agarrar un resfriado, se decía, que andar poniéndole precio a la vida de su marido.

Lo menos hora y media estuvo vagando por las calles del pueblo. Sitio hubo por el que pasó dos veces. ¡Qué más daba! Tampoco le importaba que la identificasen como la viuda del policía asesinado. Le ardía en el centro del pecho un rescoldo de humillación. Y entre sí se decía que ella no estaba para encerrarse con su dolor en casa. Que lo viera todo el mundo: su dolor tieso, su dolor alto como una farola en medio de la calle. Que lo vieran incluso los incapaces de sentir compasión, los que se alegraban de él en secreto o a las claras y los que a esas horas andarían celebrándolo como una victoria. También para éstos, y especialmente para éstos, pensaba la Toñi, su dolor estaba ahí obligándolos, les gustase o no, a desviarse un poco en el camino para no darse de frente con él.

Mientras cruzaba los soportales de una vieja plaza se detuvo ante la luna de un escaparate. Vio reflejada en sus ojos más rabia que tristeza. Siguió andando por donde la llevaban sus pies. Sin fijarse en nada ni en nadie acabó en el espigón del muelle, donde se paró a mirar las olas y el cielo gris y los barcos pesqueros que salían a faenar. Se le fue mucho tiempo hablando sola. A la vuelta, cuando llegó al primer semáforo, vio venir a bastante velocidad un camión hormigonera. «¿Me tiro?», se preguntó. Pero tenía tres hijos y había que vivir.

Sus hijos.

Los había dejado al cuidado de la vecina. Avergonzada de haberse olvidado de ellos, aligeró el paso por el camino más corto a su casa. Temía, ay Dios, sus preguntas. Que por qué lo habían matado y esas cosas. La víspera, mientras los acostaba, lo pasó fatal. Estaba por decir que lo había pasado peor que cuando le mostraron el cadáver en el hospital de San Sebastián y se agachó a besarle en la boca y supo que ya nunca más volvería a sentir en la cara las cosquillas de su bigote. Peor, se lo aseguro. Los pequeños venga a preguntar con una candidez que partía el alma y ella abrumada buscando palabras que no los asustasen. Menos mal que estaba la luz apagada. También el bebé, a su manera, se daba cuenta de que algo anormal ocurría. Durante la cena, el angelito estiraba el cuello y volvía la cabeza a los lados. Se conoce que echaba en falta las bromas con que su padre solía hacerle reír.

Caía la tarde cuando la Toñi entró en el portal. Pelo, ropa, zapatos..., todo lo traía empapado. Cualquiera que la hubiera visto habría pensado que venía de tirarse al mar vestida. Llevaba dos días seguidos encerrada en un mal sueño y necesitaba reposo. Al encender la lámpara, vio que las suelas de sus zapatos dejaban un rastro de humedad en las baldosas. Después vio una mesa de condolencias pegada a la pared. ¡Por la mañana la vecina le había insistido tanto!

–Toñi, tú no tienes que ocuparte de nada. Yo me encargo. Estoy segura de que muchas personas te acompañan en el sentimiento. Gente buena que lo único que pretende es que no te sientas sola. Y que no te van a llamar por teléfono porque, para empezar, eso da corte y encima sería una lata para ti, imagínate. Una manifestación por las calles..., bueno, eso ya sabes que no te van a hacer porque no se atreven. Eso es mucho riesgo en un pueblo pequeño. El miedica del alcalde ni siquiera se ha atrevido a declarar un día de luto. Conque tú tranquila, que yo me encargo.

La vecina había tapado el tablero de la mesa con un paño oscuro. Encima se veía un libro abierto, más bien un cuaderno de pastas duras; al lado, un bolígrafo, y detrás, un crucifijo, un vaso con flores y una vela encendida. La vela reposaba sobre un platillo de vidrio que hacía las veces de palmatoria. La Toñi pensó nada más ver la llama:

«¡Buf, qué imprudencia! ¡A ver si va a arder el tinglado este!». Por las patas reconoció la mesa. La vecina solía tenerla en la terraza, cubierta con papel de periódico para que no la mancharan unas jardineras en las que cultivaba albahaca, perejil y plantas por el estilo. A la Toñi se le figuró que lo demás, salvo el crucifijo y quizá el bolígrafo, que era de los corrientes, había sido comprado para la ocasión. ¡Qué buena era aquella mujer!

La llama de la vela iluminaba la página donde una mano malévola había escrito:

Un enemigo menos de Euskal Herria
ke se joda

Y debajo, a manera de firma: *una* abertzale.

Una y no un; así pues, mujer. Quizá la señora enlutada que a principios de verano había venido a amenazarla. En un primer instante, a la Toñi aquel escrito de letra torpe y gruesa le causó un pinchazo de lástima. Lástima no por ella, que como ustedes comprenderán bastante quebradero de cabeza tenía la pobre con la pérdida reciente de su marido y con el temor al porvenir que les esperaba a sus hijos, a los que ya imaginaba recluidos en un orfanato, pues el dinero de la indemnización y lo que le habían dicho que le correspondería de pensión no alcanzaba ni de lejos para criarlos hasta mayores. No, no. Su lástima era de otro tipo. Era, cómo les explicaría yo..., una mezcla de desánimo y compasión al ver que existen personas convencidas de que, para formar el país de sus sueños, por fuerza hay que causar dolor al prójimo. Personas con la sangre envenenada por el odio, que a lo mejor vivían a menos de dos manzanas de allí y cuidaban en casa un jilguero con el mismo amor que si se tratara de un hijo. En fin, no me hagan mucho caso. Seguramente estoy diciendo tonterías. Continúo.

La Toñi pensó que si la vecina leía aquellas palabras insultantes se llevaría un disgusto de muerte. ¡La mujer había puesto tanto empeño y tanto cariño en preparar la humilde mesa de condolencias! Entonces ella, para evitarle un mal trago a la vecina, decidió arrancar la hoja. El problema era que en la otra cara había media docena de mensajes de solidaridad. La Toñi los leyó emocionada. Y tanto como emocionada, agradecida. Sí, muy agradecida, ésa es la verdad. Pese a lo cual decidió seguir adelante con su propósito porque por encima de todo estaba, en su opinión, el bien de la vecina. Así que sin mayores vacilaciones arrancó la hoja con mucho cuidado de no hacer ruido. La tenían ustedes que haber visto. Igual que si estuviera cometiendo un robo. Hecha después una bola de papel, la apretó dentro del puño. En casa la tiraría al balde de la basura. La vecina podía ahora pasar tranquilamente por el portal.

Le tomó una sensación de alivio mientras subía las escaleras. Se miraba el puño y, como si hablara a un bicho encerrado en su interior, se decía: «De aquí no te escapas». Se le había metido en la cabeza que el insulto escrito en aquella hoja de papel era como quien dice el último aguijonazo de sus agresores. Pensó: «Bueno, la pandilla de escorpiones estará contenta. Ya tienen lo que buscaban: el policía en el ataúd, la viuda humillada y los niños huérfanos. Ahora le tocará el turno a otra familia y a nosotros nos dejarán en paz. Eso que ganamos mis hijos y yo».

Aquel pensamiento, unido a que los niños, al atardecer, sólo se interesaron por averiguar si habían ido las cámaras de televisión a la puerta de la iglesia, le ayudó a terminar el día con el ánimo sosegado. Pasadas las diez de la noche, el piso quedó por fin en silencio. Los niños dormían. También el bebé, que otras veces, tras el biberón de la cena, se ponía a berrear largo rato por culpa de los aires. La Toñi tuvo miedo de su soledad, de otra noche en blanco en la cama de matrimonio en la que ahora se sentía como un animalito perdido en el desierto. Así que llevó la almohada y una manta al sofá de la sala y se apresuró a tomar un somnífero de un frasco que le había prestado por la tarde la vecina. Durmió sin sobresaltos, sin sueños buenos ni malos, hasta que la luz del amanecer le dio en la cara. Aunque con un poco de dolor de cuello, se levantó bastante más descansada de lo que esperaba, que buena falta le hacía a la infeliz.

A la semana siguiente se topó con la señora en una calle del barrio. No fue un encuentro casual, qué va. Vio su gesto ceñudo y su ropa negra a veinte metros. Allí estaba la cincuentona seria y estirada, medio escondida detrás de una cabina de teléfono. Esperando, eso seguro. A la Toñi le palpitó el corazón. «¡Ay, Dios! ¿Me doy la vuelta o paso por su lado sin dirigirle la mirada?». Comprendió que era tarde para cambiar de dirección con disimulo. La otra no le quitaba ojo. Había en sus pupilas una fijeza, una frialdad, un rencor, que daba escalofríos.

–Te avisé y no hicisteis caso. Ahí tienes las consecuencias. Ahora apréndete el cuento: o te marchas o yo no sé quién criará a tus hijos.

La Toñi decidió hablar en susurros para que ningún transeúnte cercano pudiese oírla.

–Señora, ¿por qué me persigue? ¿Yo qué le he hecho a usted?

–Gente como tú machacáis a Euskal Herria.

–¿No le basta con lo que sufro? ¿Quiere usted aplastarme todavía más?

–¿Sufrir? ¿Aplastar? ¡Qué caradura! ¿A ti te parece que el sufrimiento de una opresora vale lo mismo que el sufrimiento de todo un pueblo?

A la Toñi empezaron a escocerle los ojos. Logró reunir una pizca de serenidad y, con la voz empañada, respondió:

–A mí no me puede usted echar la culpa de lo de su hijo.

¡Mejor se hubiera mordido la lengua! A la otra se le puso la cara roja. No se pueden hacer ustedes una idea. Se ahogaba de la corajina que le hervía por dentro. Durante varios segundos se quedó hecha una estatua, mirando a la Toñi con unos ojos, ¡madre de Dios!, en los que se hubiera podido encender un cigarro. A todo esto, zas, la señora se dio la vuelta. Sin decir palabra, pero arreándole a la cabeza una sacudida de despecho, cruzó la calle y se alejó con pasos furiosos hacia la parte baja del pueblo. No quiero ni saber lo que iría murmurando.

Por aquellos tiempos la Toñi anduvo dándole vueltas a la idea de vender los muebles y marcharse del pueblo para siempre. En las continuas noches que pasaba despierta o cuando los niños estaban en el colegio y el bebé dormía, no paraba de hacer planes. Al principio podrían establecerse los cuatro en Corcubión. En realidad, no tenían otro sitio adonde ir. En Corcubión residían los padres de la Toñi, ya mayores. Su casa era pequeña e incómoda; pero, para salir de apuros, mejor que nada. Su suegra vivía a pocos kilómetros de allí, en una casona solitaria llena de gatos, en el borde de la carretera que lleva a Vimianzo. El suegro había muerto tres años antes, de la enfermedad esa que no sé cómo se llama, la que vuelve desmemoriados a los viejos. «Según como se mire, tuvo suerte», pensaba la Toñi. «El destino, Dios o quien sea que decida las cosas que pasan en el mundo libró al pobre hombre de llorar la muerte de su único hijo.»

La Toñi confiaba en que tanto sus padres como su suegra le echaran una mano. Poco dinero le podían dar, la verdad sea dicha, pues era gente que tiraba a pobre. Pero si le proporcionaban un hogar y le ayudaban a costear una parte de los alimentos y la ropa de los niños, la Toñi se sentiría con fuerzas para rehacer su vida a partir de cero. Si además le cuidaban el bebé, ella buscaría un jornal bajo cuerda para que no le quitaran la pensión de viudedad, porque le habían dicho en el ayuntamiento que si trabajaba, adiós pensión, y otra fuente de ingresos, de momento, no tenía. Por los niños no le pagaban un duro. Ni derecho de orfandad ni Cristo que lo fundó, aunque estaba en reclamaciones y aún no había perdido del todo la esperanza. Más adelante, si las cosas salían bien, trataría por todos los medios de afincarse en La Coruña. Le atraía vivir en una ciudad, en un sitio donde nadie la conociera; donde nadie, al pasar, murmurara: «Mira, ésa es la mujer del que mataron».

Con el otoño llegaron las lluvias, los vientos esos que se cuelan por las rendijas de las puertas y los temporales que llenan el aire de los pueblos costeros de una agüilla salada. Llegaron los primeros catarros. En fin, no hace falta que les explique a ustedes cómo las gasta el Norte en algunas épocas del año. Todos los domingos la Toñi hablaba con sus padres por teléfono. En cada conversación, bien el padre, bien la madre, trataba de averiguar si ella había comenzado los preparativos de la mudanza. Para animarla a decidirse le recordaban que habían vaciado una habitación donde alojarla con sus hijos.

–Un *pouco* apretados, *meniña, mais* qué remedio.

Lo cierto es que la Toñi no se atrevía a declararles a sus hijos el plan que ocupaba a todas horas sus pensamientos. Se decía: «De hoy no pasa, hoy hablaré con ellos a la hora de comer». Y llegaba la hora de comer y, por una u otra razón, la Toñi dejaba el tema para más tarde. Total, que llegaba la cena y nada; llegaba la hora de acostarlos y lo mismo. Así día tras día. De pura lástima que sentía por sus pequeños prefería mantenerlos en la inocencia. Y es que, fíjense ustedes, los angelitos habían nacido en el País Vasco. En el pueblo tenían sus amigos. El mayor era socio de un club de artes marciales y jugaba a fútbol en las categorías inferiores del equipo local. La niña participaba en un grupo de baile. Los dos hablaban vascuence con soltura. Sacarlos del pueblo era como sacar a un pez del agua. No lo resistirían. De eso estaba la Toñi convencida. Y mientras tanto continuaba pasando el tiempo y pronto sería Navidad.

Un día, a principios de diciembre, la Toñi freía rodajas de pescado en la cocina. De repente oyó que su hijo subía silbando por las escaleras, de vuelta del colegio. Otras veces era la niña quien llegaba primero. En aquella ocasión su hijo salió antes o simplemente fue más rápido; eso es lo de menos. La Toñi, en cuanto lo sintió venir, apartó la sartén del fuego y echó a correr hacia el mueble-bar de la sala. Había dentro cosa de una docena de botellas de las que su difunto marido solía beber no muy a menudo, porque, la verdad, el hombre le tenía poca afición a la bebida; pero podía ocurrir que vinieran invitados y entonces qué menos que ofrecerles una copa.

La Toñi agarró al azar una botella. No supo lo que contenía hasta pegar un rápido trago a morro. El coñac le quemó de tal manera en la garganta que por un momento pensó si se habría tragado una brasa. Ya el hijo estaba dale que te pego al timbre. La Toñi tomó un segundo trago, y enseguida un tercero, y cuando le pareció que se había llenado lo suficiente de valor, fue a abrir la puerta y abrió y sin darle al niño tiempo de descalzarse, mojado como venía de la lluvia, le dijo que por las vacaciones navideñas se marchaban los cuatro a vivir a Corcubión.

El niño, ni pestañear. Quieto como una roca. Y entonces la Toñi, pensando que a lo mejor no habría entendido, añadió que ya todo estaba preparado, que los abuelos se alegraban, etcétera. A su hijo se le fue endureciendo la mirada. Y el gesto, no digamos.

–Yo no me voy –soltó de pronto con una frialdad más propia de una persona mayor que de un niño–. Yo soy vasco.

–Nadie dice lo contrario, tesoro. Pero también puedes ser vasco en la China y dondequiera que estés. Eso no te lo quita nadie.

Al niño, a punto de llorar, le empezaron a temblar los labios.

–Tú no me quieres porque soy de aquí –dijo con la voz entrecortada, y se marchó a todo correr a encerrarse en su habitación.

El psicólogo que por entonces trataba al niño por cuenta del Gobierno Vasco riñó a la Toñi. No es que le echara la bronca, entiéndanme; pero usó un tono bastante severo. Desde que supo lo ocurrido se le pusieron entre las cejas unas arrugas de enfado que no se le quitaron ni en el momento de la despedida. Dijo que no debía haberle hablado al niño de aquella manera. En su opinión, habría sido preferible que la madre se hubiese llevado a los hijos de vacaciones al pueblo de los abuelos. Luego habría venido un periodo de adaptación de los niños al ambiente. Eso podía durar más o menos, según las no sé qué psíquicas de cada uno. En ese tiempo, nada de discutir ni de regañarlos para que los conflictos no influyeran negativamente en lo de la adaptación. Mientras tanto, había que distraerlos con actividades y juegos para que ellos le fueran cogiendo gusto al lugar. Y a los tres o cuatro días, en un instante de carácter festivo (eso dijo, festivo), ella podría insinuarles la posibilidad de quedarse a vivir allí. La idea había que presentarla de un modo atractivo que produjese entusiasmo en los niños, aunque reconocía él que lograr aquello podía requerir paciencia y tacto.

–Mucho tacto, señora –repitió con cara de reproche.

El psicólogo era un hombre de unos cuarenta años sobre poco más o menos. Recibía por las tardes en un consultorio con muebles de lujo que estaba en una zona céntrica de San Sebastián, al lado del río. A la Toñi, cada vez que iba con el niño, la llamaba aparte para llenarle la cabeza de consejos y advertencias. Al final todo lo que consiguió fue dejarla recomida por los remordimientos, y tan confusa y preocupada que después, en casa, sentía apuro de dirigir la palabra a sus hijos por miedo a equivocarse. Conque un día, poco antes de las vacaciones navideñas, la Toñi entró en la habitación del niño (bueno, del chaval, pues ya tenía sus doce años cumplidos en octubre), y le dijo que tranquilo, tesoro, porque se lo había pensado mejor y no se iban.

Llegó la Navidad, la primera sin su marido. La Toñi andaba tan baja de ánimo que cada dos por tres se encerraba en el retrete a llorar. Pues a la terraza no salía para nada. Tenía la mujer como un recelo a que se le metiese en las carnes aquel gris de las nubes que tanto la deprimía. Gris por las mañanas, gris por las tardes y a veces, al amanecer o cuando oscurecía, una niebla espesa que se derramaba sobre los tejados del pueblo y los tapaba. Pero, en fin, por los niños se resignó a poner el nacimiento sobre la mesita de la sala, así como el árbol con las bolas, el espumillón y las luces de colores en el sitio de costumbre. Con los niños cantó villancicos que le resultaron más odiosos que nunca, y con ellos celebró, disimulando su falta de ganas, lo que había que celebrar. Todo para que a los pequeños no se les contagiara la tristeza que la consumía.

Empezó el año nuevo. No pudo empezar peor. Primero cayó enfermo el bebé. Fiebre, tos y unas llanteras que taladraban los oídos. Hubo que darle antibióticos al pobrecito. Después le tocó a la Toñi. También fiebre y dolor de cabeza y no sé qué más. Por no dejar a los niños solos aguantó varios días de mala manera, creyendo que había pillado un resfriado pasajero. Al fin la vecina la llevó a que la examinara un médico. El médico le diagnosticó neumonía y tuvieron que ingresarla en el hospital.

Al cabo de una semana, cuando ya empezaba a sentirse mejor, vino la vecina, que venía todos los días y además cuidaba a los niños como una madre, y con un gesto de preocupación le dijo a la Toñi:

–Mira, Toñi, es la última vez que vengo a visitarte porque me han dicho que como siga viniendo van a ir a por mí.

–¿Quién te lo ha dicho? ¿La señora esa que me ha estado persiguiendo?

–No, no, alguien que llama por teléfono y me echa papelitos en el buzón. Pero a ésa también la he visto. Ésa me ha mandado que te diga que en cuanto salgas del hospital te vayas del pueblo, que ya no te lo vuelve a decir y que te acuerdes de lo que le pasó a tu marido por no hacer caso.

–¿Y no la has hecho callar de un mamporro? Cuando subió a mi casa aquel día eso dijiste. Que si a ti te hablaba como me había hablado a mí la tirabas por las escaleras.

–Ganas no me han faltado, pero tiene gente detrás.

La vecina dejó sobre la mesilla unas revistas que le había encargado la Toñi de víspera, y hablaron las dos un rato y después la vecina se marchó apenada a su casa. Al otro día vino una sobrina de la vecina. Le preguntó a la Toñi si necesitaba alguna cosa, que ella se lo traería. La Toñi dijo que no, que ya pronto le iban a dar el alta, y la chica se fue.

Salió la Toñi de ahí a poco del hospital con mucha debilidad, pero curada. Cuando bajó del taxi, delante justo de su portal, vio salir a la vecina con la bolsa de la compra. La fue a saludar y besar como era costumbre entre ellas; pero entonces la vecina volvió la cara y pasó de largo. Al llegar la noche, llamó callandito a la puerta de la Toñi. Estuvieron las dos llora que llora juntas en la cocina. Y casi todo el rato se miraban la una a la otra sin decirse nada.

Por todo aquello que estaba ocurriendo y porque a los pocos días llegó la niña muy asustada del colegio, sin poder explicar lo que le habían hecho unos chavales que ella no conocía y que por lo visto ya le habían salido otras veces al camino a meterle miedo, la Toñi agarró el teléfono y sin dudarlo un segundo llamó a sus padres.

Pronto corrió por el barrio la voz de que se iba. Sin que ella lo supiera, se hicieron en algunos bares y tiendas de la zona colectas para pagarle el camión de la mudanza. Más de quince vecinos se juntaron para cargar los muebles, entre ellos algunas personas que desde que mataron a su marido le negaban el saludo. Eran tantos subiendo y bajando que se estorbaban en las escaleras. Quedó el piso vacío. La Toñi, con el bebé en brazos, recorrió una por una las habitaciones para asegurarse de que no olvidaba nada.

En el descansillo la esperaba la vecina. La vecina le quiso meter a la Toñi en el bolsillo del abrigo un fajo de billetes; pero la Toñi lo rechazó con firmeza. Se dieron un largo abrazo. Le vecina besó a los niños y les dio un regalo envuelto en papel de colores para que se acordaran de ella. Y cuando quitaron más tarde los envoltorios vieron que había regalado a cada uno un santo patrón de la iglesia del pueblo con su cadena de oro. Al bebé, después de darle un beso, le ajustó el gorrito de lana que ella misma había confeccionado alguna vez, pues era muy hábil con las labores de punto. Eso fue lo último que hizo y ya se despidieron.

Según bajaban la Toñi y sus hijos por la escalera, en todos los pisos salían los vecinos a desearles buen viaje y a decirles adiós. En la acera esperaron un rato al taxi que debía llevarlos a la estación del ferrocarril de San Sebastián. Para tener al bebé más seguro, la Toñi se acomodó en el asiento trasero, junto a su hija, que no se soltaba de su brazo. Al chaval, que además era lo que quería, lo dejaron sentarse al lado del conductor. La Toñi, por halagarlo, le dijo:

–Los hombres, delante.

En el momento de ponerse el taxi en marcha, la Toñi volvió los ojos hacia la ventanilla. ¡Había vivido tantos años en aquel barrio! Le entró la cariñada de mirarlo por última vez. Vio entonces, en la acera de enfrente, a la señora vestida de negro. Y se fijó en que no tenía en la cara la dureza de otras veces; antes bien, una mueca apagada y como melancólica, les aseguro. En esto, va y les hace adiós con la mano, que la Toñi pensó si sería de burla, pero no.

A punto de salir del pueblo y tomar la carretera que lleva a la entrada de la autopista, la Toñi pidió al taxista que parase. Se bajó. Los niños le preguntaron adónde iba. En silencio se agachó junto a la cuneta, buscó un poco entre los hierbajos y los desperdicios y encontró por fin algo que le sirviera de reliquia de aquella tierra donde dejaba enterrado a su marido. Desde entonces ha llevado siempre consigo esta pequeña piedra blanca que ven ustedes ahora en mi mano.

Maritxu

Locutorio

Que matéis guardias y chivatos, pase. Pero niños, no. Hace un calor de espanto en este cuarto. *Amatxo,* joé, no hables tan alto, que seguro que nos escuchan. Aquí huele que apesta a micrófono escondido. Y tienen gente que sabe euskera, que les traduce. ¿Y te dan bien de comer? Sí, amá, no te preocupes. Pues te he traído pan de higo. Hecho por mí, ¿eh? No comprado.

Señora, haga el favor de despedirse. Ya han transcurrido los cuarenta y cinco minutos. ¿Tan pronto? Oiga, que es mi hijo. Señora, no complique las cosas. Vete, *amatxo,* que si no estos cabrones no me dejarán verte la próxima vez.

Autobús de vuelta

La carretera discurría por un terreno ondulado. Campos de la provincia de Burgos, abrasados por el sol de agosto. Ni un árbol. Ni una casa. Sequedad. Una nube de polvo a lo lejos, al paso de un tractor solitario.

Si esto *sería* Eukal Herria poníamos ahí un bosque y todo verde, con una sombra rica, me cago en Dios. ¿Qué dice ése? Bah, no le hagas caso. Gol, gol, gol, goooooooooooooooooooool del Betis que inaugura el marcador y

¡qué golazo! Los de *alante, decirle* al conductor que baje la radio. ¡Tostón de fútbol!

¿Y me tendré que meter estas palizas de viajes? Maritxu, hay que levantar el ánimo. Yo tengo mucho orgullo de ser la hermana de una gudari. Claro, claro, pero que no maten niños. Guardias civiles, los que quieras. Bueno, Maritxu, si vamos a eso piensa en los que nos mataron ellos en Gernika en el 37. No haber empezado.

¿Qué dice ésa? ¿Quién, la Maritxu? Se come el tarro cosa mala. Es que es su primer viaje. Que hable con el cura. Yo he ido muchas veces *ande* el cura a preguntar si hay pecado mortal en la lucha armada y a mí el cura siempre me ha dicho tranquila, Puri, que en cuanto consigamos nuestros derechos habrá paz. ¿Lo oyes, Maritxu? No sé, no sé. ¿Cuánto falta *pa* Vitoria? Una hora. ¿Todavía?

Plaza del pueblo

Una pancarta de plástico cubría la barandilla del quiosco. Llevaba allí desde antes de las fiestas, hacía más de un mes. A los nombres de siempre los chavales habían añadido a brochazos el del hijo de Maritxu. Tan, tan, tan: las nueve de la noche en el reloj del campanario.

El alcalde peneuvista venía con su hija por los soportales, chupando los dos un helado de cucurucho, y se acercó a los del autobús. ¿Qué, buen viaje? Un calor de la de Dios. Alcalde, no te hagas el bueno, que no te vamos a votar. ¿Cuándo es el juicio? El quince. No os preocupéis por los gastos, ¿eh? El ayuntamiento está para lo que haga falta.

Audiencia Nacional, sala tercera, el 15 de septiembre

A Maritxu cuando metieron a su hijo esposado en la pecera por poco se le escapa una lágrima. Venían soltando carcajadas él y otros dos, y como empezaron a saludar al grupo y el grupo a ellos, aúpa valientes, Maritxu ya se quedó como más tranquila. ¿Te emocionas? ¡A ver!

Y el juez, pumba, pumba, venga a pegar con la maza, y silencio, y los procesados, puño en alto, cantando el *Eusko gudariak*. Este tribunal del Estado fascista español no lo reconocemos. ¿Qué ha dicho? No van a colaborar con los aparatos represivos, eso seguro. Yo a mi hijo le veo que ha enflaquecido. Me he de enterar si lo han torturado. La armo, ¿eh?, vaya si la armo.

Gasolinera

¿Veis aquel tajo entre los montes? De ahí *pallá*, España pues. De ahí *pa* este lado, la patria de los vascos. Y mientras no lo acepten habrá hostias. Y que se metan la democracia por el culo.

Maritxu miró hacia donde señalaba el viejo de la chapela. Divisó unas pendientes escarpadas, con mucha roca y algo de pinos. Volaban dos aves carroñeras por encima de una cumbre. Ya se estaba metiendo el sol por detrás.

Y que se vayan preparando porque a los vascos, cuando se nos mete una idea en la cabeza, no hay Dios que nos la saque.

A Maritxu le venían recuerdos de cuando era niña. En casa del viejo, viviendo Franco, ponían en el balcón la bandera española. Si había procesión allí iban, en primera fila con boina roja, y ahora esto.

Por fin sale del servicio la hermana de Begoña. Maritxu lleva desde por la mañana con ganas de preguntarle. Pues me tiene dicho que se casará con tu hijo cuando salgan de la cárcel. Si les cae un montón de años será difícil. Depende. ¿Depende de qué? De que ETA fuerce la amnistía y de que ellos trabajen para la reducción de pena. Que Dios te oiga.

En casa

Pastillas contra el trancazo. Una después de cada comida con un buen trago de agua. Contraindicaciones: todo en castellano retorcido. El de la tele lo entiendo, pero esto es chino *pa* mí. El teléfono. Se llevó tal susto que casi se le cae el frasco al suelo.

Veintiocho años, Maritxu. ¿Quééé? Me moriré de vieja y todavía lo tendrán encerrado. Tranquila porque en la práctica son ocho o nueve. ¿Y Begoña? La dejan libre. ¡Gracias a Dios que por lo menos una se salva! No le han podido probar que conocía el contenido de la bolsa. Joxian, bien. No te preocupes, ¿eh? Estate orgullosa del hijo que pariste, Maritxu. Bueno, agur. ¿Oyes la juerga que hay detrás *mío?* Andamos celebrando la puesta en libertad de Begoña.

No habían pasado ni dos horas y ya estaban los chavales encartelando las paredes del pueblo con la foto de su hijo. Caía sirimiri y le pareció mejor no salir, por el trancazo; pero se asomó al balcón con un paraguas y de pronto le molestó que le hubieran puesto Potolo. Se llama Joxian y punto. Potolo ni leches. Miró el retrato de su difunto marido en la pared de la sala. Venía de Tolosa en moto, hace ya bastante tiempo, en el 76. Llovía más que hoy y patinó. Joshé, al hijo le han metido veintiocho tacos. *Pa* que sepas.

El vidrio que protegía la foto estaba rajado. A raíz del registro. Los guardias metían la mano por todo. Miraron hasta en el congelador. Sinvergüenzas. Se les cayó el cuadro o lo tiraron. Uno con un bigote negro le resultó a Maritxu tan asqueroso que, en cuanto se fue, ella tiró toda la comida congelada a la basura. De donde había tocado aquel fulano no comía ella ni loca. Y Joxian por supuesto en Francia. Qué se creían, que iba a estar aquí esperando a que lo *cazarían*.

Joshé, en la foto, tenía unas orejas que sólo le falta menearlas *pa* echarte a volar. Mira que eras chaparro. En cambio, Joxian si no se agacha se da con la frente contra lo de arriba de las puertas. Que no se me olvide ponerle una vela a Ignacio *pa* que no me lo lleven a Canarias. Todo menos a Canarias, Joshé, el fin del mundo.

Mañana lo dirán en los periódicos. Y aquellas criaturas destrozadas no me las saco del pensamiento. Mejor que te mataste en la carretera, así no has tenido que enterarte. Los críos hay que dejarlos fuera del conflicto, ¿eh, Joshé? Ahora que igual no fue Joxian sino otro del *talde* el que apretó *pa* que *explotaría*. ¿Se lo pregunto en la próxima visita o tú qué dices?

En el mercado

Potolo *askatu* por aquí, Potolo *askatu* por allá. Y en el balcón del ayuntamiento una foto de Joxian tan descomunal que cogía media fachada. ¿Ésa es la madre de Potolo? Señora, venga. Maritxu iba de puesto en puesto. No había forma de que le aceptaran el dinero. Tenía el carrito con ruedas lleno de verdura y fruta y aún le daban más. A cada rato levantaba la mirada al cartelón con la cara de su hijo y ya la estaban llamando de nuevo. Tome esta bolsa de nueces. Tome estos *perretxikos*. Hasta un manojo de calas le dieron. A una casera que vendía queso de caserío se atrevió a decirle vivo sola, no necesito más. La otra se enfadó. Que si les había cogido a las demás que por qué a ella no.

Al rato, en el portal, y al día siguiente, en casa

Tenía el buzón de metal cuatro agujeros en la parte de abajo para saber si había carta. Y había algo blanco dentro, así que carta o propaganda. Pero abrió y no. Nada más ver el muñeco Maritxu pensó si sería un regalo. Igual una niña del vecindario que le mostraba su apoyo, pero luego leyó la nota atada con un hilo al cuello y comprendió. El muñeco le cabía en la palma de la mano. En recuerdo de los que mató Potolo. Le habían pintarrajeado la cara y las ropitas con tinta roja. Le faltaba una pierna y un brazo.

Por la mañana Maritxu buscó el muñeco en el cubo de la basura para enseñárselo a Begoña. Qué asco, chica, no aparece. ¿Cómo era? Pequeño-pequeño, de plástico rosa. Nada del otro mundo. Pues juguetería en el pueblo no hay. Por si acaso voy a preguntar en las tiendas de chucherías si se acuerdan de alguien que haya comprado un muñequito. Chica, ¿no quieres llevarte una lechuga? Fíjate cuántas me regalaron. Maritxu, a Joxian nada, ¿eh? Si se entera de que te andan molestando se pondrá triste. Yo, como una tumba. A mí estas bromas me dejan fría, qué te crees. Bueno, me voy a preguntar por ahí. Llévate una lechuga y un par de puerros, haz el favor.

Locutorio

No sabía que te llamas Potolo. ¡Con lo flaco que eres! Cosas nuestras, amá. Pues *pa* mí eres Joxian y de ahí no me saca nadie. Hace un frío que pela en este cuartucho. Me parece que la otra cárcel era mejor. No creas. ¿Cuánto tiempo nos queda? He entrado a menos veinte, ¿*verdá?* Ya no me acuerdo, pero no te preocupes. Hasta que no vengan a echarte aquí seguimos. ¿Te ha contado Begoña lo del homenaje? Algo me ha dicho. Los del pueblo no sabes cómo te adoran. Como a un héroe. Está bien saberlo, eso se agradece. Hablaron varios dirigentes y al final subieron al quiosco dos chavales con la cara tapada a prender fuego a una bandera de España, que espero yo que no tengamos lío por eso.

Señora, le comunico que se ha agotado el tiempo de visita. No puede ser. ¡Pero si he entrado a menos diez! *Amatxo,* por favor, no me montes el mismo circo cada vez que vienes.

El descansillo

Los últimos escalones los subió buscando la llave dentro del bolso. Sería por eso, y porque además venía cansada del viaje, que no lo vio hasta poner el pie encima del felpudo. Algo abultaba debajo. ¡Concho! Esta vez al muñeco le faltaba la cabeza. La nota había sido atada a una pierna con un hilo como el de la vez anterior. En recuerdo de... No quiso seguir leyendo. ¿Para qué? Tiró el muñeco por el hueco de la escalera. A la media hora o por ahí bajó al portal a recogerlo. Para enseñárselo a Begoña. En el suelo del portal el muñeco ya no estaba.

69

En el pueblo no se venden juguetillos como el que dices, pero da igual porque sea quien sea el canalla lo vamos a pillar. Yo me encargo, Maritxu. Lo mismo si son policías como si es un *pasao* de listo.

A la mesa de la sala

Y va *pa* un año que estás preso y te echo mucho de menos, qué va a decir una madre. Y ya no sé qué más escribirte por hoy y termino porque a mí me gusta más hablar, yo escribir es que no.

Joshé, la cara partida por la raja del vidrio, miraba como miraba siempre. ¿Qué miras, Joshé? En vida eras más callado que un armario. Pues no has cambiado nada. ¿Qué piensas? Le cuento lo de la Begoña, ¿sí o no?

Perras, eso es lo que son. Pobre Joxian.

La había visto en fiestas a la cola de una charanga. La cara roja de haber pimplado, seguro. El novio en la cárcel y ella de fiesta, sudando como una perra.

Que eso es lo que son, Joshé. Unas perras babosas. A cada lado la agarraba un hombre. Todos y ella y su hermana, otra del mismo equipo, con las camisas mojadas de sudor. ¿Eso son gudaris? Y Joxian en la cárcel. Veintiocho años. Lo mejor de la vida sacrificado por la patria vasca. Y la novia meneo *paquí*, meneo *pallá* a las diez y pico de la noche, cuando las mujeres decentes ya están recogidas.

¿Se lo cuento, Joshé? ¿Tú qué crees? El día que respondas pasará una bandada de obispos volando sobre el pueblo. Callado y chaparro. ¡Qué cruz!

A la vuelta de misa

¡Maritxu! ¡Puri! ¿Qué tal? Ya ves.

A la Puri últimamente no la veía. Desde que soltaron a su hijo ella ya no se apuntaba a los viajes.

Lo tengo en Bilbao, metido en una editorial que saca libros y discos. Pero no reinsertado, ojo, que se tragó entera la condena. El otro día me vino la del bodegón, que es tonta perdida esa mujer. Va y me pregunta con retintín si mi hijo es de los que se han acogido a la reinserción. ¿Eso te dijo? Eso. Me la quedé mirando con una rabia que ni *pa* qué. Te juro que no le arrimé una manotada de milagro.

En varios balcones y ventanas colgaba el cartel que pedía el traslado de los presos a Euskal Herria. Maritxu tuvo que pedirles otro a los de la *herriko taberna* porque el primero se conoce que lo ató mal. A los pocos días se levantó viento y adiós muy buenas.

Oye, ¿te siguen molestando? Hace tiempo que me dejan tranquila. Seguro que son los de la Asociación de Víctimas, menuda pandilla de sinvergüenzas. ¿Tú crees? ¿Quién, si no? De un tiempo a esta parte no he tenido ataques. Será porque la novia de Joxian dio aviso y unos chavales me han estado vigilando el portal desde la casa de enfrente. Bien hecho. Igual es que ya no se atreven. Hay que darles caña, Maritxu, *pa* que paren de machacarnos.

En la pared, mojada por la lluvia, le sonreía la foto de su hijo. La Puri hablaba otra vez del suyo: Bilbao, editorial, mucho *pa* la cultura vasca. Por encima de su hombro, Potolo *askatu*. A Maritxu aquello la irritaba a más no poder. Vamos, que cualquier noche salgo a la calle con una lata de pintura a borrar lo del Potolo de marras y escribir encima Joxian.

Al ir a confesar

La debían de andar siguiendo a escondidas porque, si no, ¿cómo iban a saber que ella se sentaba últimamente al lado de la columna? En tiempos las mujeres se sentaban a la derecha, los hombres a la izquierda. Al entrar, Joshé le ofrecía agua bendita en la mano para que ella se mojara los dedos, y enseguida él a un lado y ella al otro. Ahora ya no, ahora se sientan todos donde les da la gana. Maritxu se quedó con la costumbre. Pero hacía cosa de un mes que se pasó a la izquierda. Le cogió gusto al sitio porque allí la estatua de san Ignacio le pilla más cerca. Ignacio, le decía en susurros. Y además podía verle la cara mejor en la poca luz de la iglesia. Ignacio, sácamelo cuanto antes de la cárcel. Ignacio, cuídamelo. Con ningún otro santo tenía Maritxu tanta conversación.

Lo primero, como siempre, encender la vela. Y después, chin, solía caer la moneda dentro del cepillo. Estaba apagada la bombilla del confesionario, así que a esperar. Alguien debía de espiarla, alguien que le iba por detrás, alguien que sabía. Nada más sentarse la vio: una cabecita que al principio pensó si sería una bola de chicle en el suelo. No la quiso tocar por si estaban frescas las manchas rojas. Y la nota de las puñetas. Que la lea su padre. Sintió un pinchazo en el corazón. Ya miraba a todos lados. A los bancos vacíos. A una vieja que entró santiguándose. A las columnas por si había gente detrás. Al púlpito. Al retablo. Ignacio, ¿quién me hace esto?

Adiós confesión. Salió a toda prisa por miedo a pegar un grito en medio de la iglesia.

A casa de Begoña

Atajó por el frontón. A ver si la pesco antes que salga *pal* trabajo. Había una cuadrilla de abertzales subidos a un andamio. Ya tenían pintadas la serpiente y el hacha, y estaban poniendo las siglas.

Hostia, Maritxu, ¿*ande* vas tan corriendo? Soltó el bote de pintura y haciendo payasadas se le vino encima a estamparle dos besos con olor a tabaco. Quita, indio, que tengo prisa. Uno *pa* ti y otro *pa* Potolo cuando lo veas. *Pa* Joxian, si no te importa.

En el rincón jugaban a pala dos chavalines.

Destrozados. Cuando supe que Joxian había andado en eso, uf... Pues es lo que más castiga Dios, Maritxu. Los niños son sagrados. Me lo figuro, Ignacio. Pero entiende que es mi hijo y que no tengo otro.

La saludaron al cruzar la plaza. No se enteró.

Como no me ayudes no sé qué va a pasar. Dile a Dios que renuncio a la gloria si no le perdona. Mucho pides. Oye, que tú de joven también fuiste balarrasa, ¿eh?

Soy yo. Le abrieron el portal, luego la puerta del piso. Una barba hasta medio pecho, con gafas y fumando. Más feo, imposible. ¿Y Begoña? En el currelo. Había otro en paños menores y con pinta de marrano al fondo del pasillo. Salía olor a café reciente. ¿Quiere dejar un recado? Le picaban las ganas de preguntar, pero se mordió la lengua. Éstos, del pueblo, no son. ¿Les habrá dejado dormir aquí? Capaz.

Locutorio

Eso no quiere decir nada, *amatxo*. Y además si vienes a contarme historias raras prefiero que no vengas. ¿Por qué,

73

si es la *verdá?* Pues porque me dejas hecho polvo. Cuentas unas cosas y otras te callas. ¿Qué me he callado yo? Lo sabes de sobra, no me vengas con chorradas. ¡Como no te expliques...! ¿Recibiste la postal? No cambies de tema. Por lo visto te anda acosando el enemigo y no me habías dicho nada. Ah, ¿eso? También te he preguntado yo otras veces si te torturaban y no me has respondido. ¿Te parece poca tortura estar aquí encerrado? Oye, no vamos a empezar a discutir, ¿no?, que tampoco nos vemos tanto.

Miraba a su hijo y no sabía qué decirle.

Al de la Puri le ha dado un trabajo el Gobierno Vasco. Con su pan se lo coma. ¡Ay, hijo, qué seco estás hoy!

Se le acabó el tiempo, señora. Pensaba protestar, pero en esto vio que Joxian se marchaba sin despedirse. Se quedó muda, vacía, y aún le esperaba un viaje de más de seis horas.

En la cocina

¿Cómo coño puedes ser tan ciega? Oye, no me chilles, ¿eh? ¿Que no te chille? ¡Si nos has jodido la relación! ¿Yo? Tú, que metes hombres en tu casa. ¡Ay, amá, qué hombres ni qué ocho cuartos! ¿No sabes que eran compañeros de lucha? Claro, claro. Como hay Dios que lo sabías. Deja a Dios en paz, que no te ha hecho nada. Ya me huelo de dónde te vienen las ganas de pensar mal. Nunca te gustó que yo saliera con Joxian. ¿A mí qué más me da? Te lo noté desde el principio, Maritxu, desde la primera vez que pasé por esa puerta. Tú qué vas a notar. Naturalmente que lo noté. ¿Te crees que soy tonta? Pues *pa* que te enteres, él andaba detrás *mío* y no al revés, él me pedía: ¿qué, salimos?, y tú ahora has metido cizaña y el pobre está con una depresión de caballo, con lo frágil que es. Mi hijo ¿frágil? ¿De dónde sacas tú eso? Por favor, Maritxu, abre los ojos. Pues estuve ayer con él y nada. ¡Cómo que nada, si me lo ha contado todo por teléfono! ¿Qué te ha contado? Que te dejó plantada. No es *verdá*, ya era la hora de irme. Mira, Maritxu, lo creas o no, y si lo crees bien y si no también, yo no le pongo los cuernos a mi novio. Es todo lo que tengo que decirte y me voy y lo mejor es que tú y yo no nos veamos durante una temporada.

En el pasillo, bajo la lámpara de cinco tulipas, se paró de golpe. Maritxu, tiesa, dura, le sostuvo la mirada.

Una cosa antes de irme. Suelta lo que quieras. ¡Ya has dicho tanto!

Begoña hacía que no con la cabeza.

Lo de los muñecos me da que te lo has inventado. ¿Algo más? Dices que te ponen muñecos con sangre. Pues yo hasta la fecha no he visto ni uno. Chica, es que ni uno. Muy misterioso, ¿no? Será que me los como con pan y cebolla.

Sola, por fin. Que me dejen en paz, que se vayan todos a freír churros. ¿Tú qué piensas, Joshé? En una cosa tiene razón. Me cae fatal. Ésa no es *pa* Joxian, ¿*verdá*, Joshé?

Lo mejor eran los pájaros

Mi hermano ha esperado a que su hija cumpliera nueve años para contárselo. Dice que antes habría sido demasiado pronto, que la pobre cómo iba a entender con lo tierna y lo frágil que es. En esto último mi hermano tiene toda la razón. Hijo mío, a veces pienso que a tu prima no la alimentan como Dios manda. O que ha contraído la anorexia a la edad en que otros niños se preparan para la primera comunión. El corazón me da un vuelco cuando le miro las piernas. Son tan delgadas que parece imposible que la criatura se pueda sostener. Para su último cumpleaños le regalamos tu padre y yo unos leotardos de lana. Es que nos apena que vaya por ahí enseñando los huesos. Yo rezo por las noches para que tú salgas más robusto. La doctora Gutiérrez me aconseja en cada revisión que te amamante por lo menos durante un año. Conque estate tranquilo, tesoro. Pecho no te va a faltar. Me importa un rábano si por cuidarte tengo que reducir mi horario en el instituto después que se me haya terminado la baja por maternidad. ¿Me voy a ocupar de los hijos de los demás y no del mío? En cuanto a lo del abuelo, te lo cuento ahora aunque no escuches, o quizá sí, quién sabe. En una revista he leído que algunas embarazadas ponen música cerca del vientre para que se oiga dentro. Pues te lo cuento ahora y te lo contaré más adelante y muchas veces mientras viva, porque es un crimen olvidar ciertas cosas. En tu familia, hijo, verás que hay de todo menos criminales. Te aseguro que en otras casas no pueden decir lo mismo. Allá cada cual con su conciencia. Al que no vas a encontrar es al abuelo Antonio. Tendrás su nombre como tu prima, la flaca y pálida María Antonia. Pero no lo tendréis a él ni ella ni tú. Os lo quitaron, hijo. Os lo quitaron un día en una tierra lejana, pronto hará veintitrés años. Tu madre andaba entonces por los doce recién cumplidos. Una monada de niña, no porque lo diga yo. Ya verás cuando nazcas y te enseñe fotografías. La melena me llegaba hasta media espalda. Después me la corté. De pura pena, ¿sabes? Y ya nunca me la dejé crecer. Es como un luto que he mantenido en secreto. A mí vestirme de zarrios negros, como las viejas de las aldeas, no me va. Lo del pelo corto en señal de luto no se lo he contado a nadie, ni siquiera a tu padre. Sólo a ti, hijo mío, a ti solamente. Ya iba a terminar la primera hora de clase. A lo mejor no me acuerdo de lo que hice ayer. En cambio, de aquella mañana no he olvidado un detalle. Copiábamos en el cuaderno lo que la madre Jacinta escribía en el encerado. Había silencio en el aula. ¡Pues no eran poco severas las monjas de aquel colegio! Y de la madre Jacinta ni te cuento. Buena persona, catalana de Mataró, pero, ay, castigadora infatigable. Como te pillase distraída te mandaba escribir cien o doscientas veces la frasecita de rigor: «Debo prestar atención a las explicaciones de la madre profesora». Yo me sentaba cerca de una ventana. Desde mi sitio se podía ver un prado que terminaba en una hilera de árboles. Por detrás se levantaba un monte. En otoño subía hasta allí con mis amigas del pueblo a coger avellanas. Todo era muy verde y muy agradable a los ojos. Cuesta entender que en medio de tanta hermosura hubiera gentes empeñadas en causar el mayor daño posible. Yo era una alumna bastante espabilada. No lo digo por presumir. Acababa las tareas antes que muchas de mis compañeras y, si la monja de turno no se daba cuenta, me entretenía contemplando el paisaje. Lo mejor eran los pájaros. Los había de muchas clases. Blancos, verdes, sueltos, en bandadas... Una maravilla. A mí siempre me han gustado los pájaros. Quizá porque van y vienen a su antojo. No viven apegados a la tierra como la mayoría de la gente. Un pájaro no es de aquí ni es de allá, sino de todos los lugares. Llega, se posa, se va. Eso me gusta, tesoro. También recuerdo que a menudo se veían vacas pastando la mar de tranquilas en el prado. Me daba por contarlas: once, doce, las que fueran. Otras veces había ovejas. Una mañana, qué risa, el carnero no paraba de perseguir a una de ellas. Nada más alcanzarla intentaba montarla. La oveja mordisqueaba la hierba como si nada. En el momento en que el otro le ponía las patas sobre el lomo, arrancaba a correr y dejaba al galán chasqueado. La escena se repetía sin variaciones. Se lo dije a la niña que se sentaba a mi derecha. Ésta se lo dijo a la siguiente y, en unos instantes, toda la clase tenía la cabeza vuelta hacia la ventana. Sonaron risas. La madre Jacinta quiso saber la causa de aquella animación a sus espaldas. La calmaron con un embuste. Aun así, la fila de las más sonrientes no se libró del castigo. Yo, ahora, hijo de mi vida, veo igual que si la tuviera delante a la madre Jacinta la mañana en que escribía en el encerado aquellos párrafos tediosos sobre los musgos y los helechos. Dios bendito, ¿cómo me puedo acordar de estas pequeñeces al cabo de tantos años? La madre Jacinta cuidaba mucho la letra. Escribía limpio y despacio, y a mí, entre una línea y otra, me daba tiempo para pasear la mirada por el paisaje. Así estaba cuando se produjo un estruendo ni lejos ni cerca. Las vacas levantaron a un tiempo la cabeza. Una bandada de palomas pasó volando a toda velocidad. En aquel momento no supuse que hubiera ocurrido nada grave. Pensé en alguna cantera de los alrededores o en la demolición de alguna nave industrial. El ruido había hecho temblar los vidrios. Me fijé asimismo en que la madre Jacinta se quedó varios segundos inmóvil con la mano en alto y el trozo de tiza entre los dedos. Después miró su reloj. ¿Por qué lo miraría? Sin decir palabra, continuó escribiendo. Transcurrió una hora. Nosotras bajamos a jugar al patio, volvimos al aula al final del recreo y empezamos la clase de francés con la señorita Pilar, que no era monja. Hasta ahí todo como de costumbre. De pronto se abre la puerta. La madre Jacinta hace una seña imperiosa a la señorita Pilar para que salga al pasillo. A la señorita Pilar le falta poco para salir corriendo. La cara de la madre Jacinta trasluce una seriedad que no es de enfado. De eso no me cabe la menor duda. Es otra cosa que yo noto pero no comprendo. Bis bis bis, se les oye cuchichear a las dos. A mí se me figura que para entonces ya había como una tensión de alarma en el aire. Es difícil de explicar. A los seres humanos, según en qué situaciones, se les suele encender un sexto sentido. Cuando seas grande ya lo entenderás. Enseguida me olí que había ocurrido una desgracia en el pueblo. Y que esa desgracia afectaba a una de las veintitantas niñas que ocupaban asiento en el aula. Estábamos todas calladas. Podíamos haber aprovechado que nadie nos vigilaba para echarnos a hablar. Bueno, pues no se oía una mosca. En esto, la señorita Pilar se asoma al hueco de la puerta y me pide que vaya a donde ella. Era una mujer alta y joven que caía bien a todas las alumnas por sus maneras suaves y su brillo de bondad en la mirada. Sin embargo, en el momento de llamarme había en sus ojos una fijeza que me asustó. Me levanté despacio. Si quieres que te diga la verdad, hubiera hecho todo lo posible por tardar varios años en recorrer los seis o siete metros que me separaban del pasillo. Sabía que allí me esperaba algo malo. Dejé caer al suelo mi estuche con los lápices de colores. Cinco segundos ganados a la desgracia. El hecho de que la profesora no me metiese prisa confirmaba mis augurios. Al fin salí del aula. No me atrevía a enfrentar la mirada de mis compañeras. Sin necesidad de volver la cara yo percibía que me observaban desde detrás de una pared invisible. Ellas estaban en el mundo de hasta entonces; luego irían a sus casas a comer, luego volverían al colegio y por la tarde se reunirían en la calle para jugar en grupos de amigas. Yo no sabía aún adónde iba, pero tenía bien claro que con cada paso que daba me alejaba de aquel mundo de hasta entonces. En el pasillo encontré a la Neli, los ojos rojos como de haber llorado. La Neli, para que sepas, era la hija mayor del sargento. Ah, y además, cuando la vi, se estaba mordiendo el labio de abajo. Otra mala señal. La madre Jacinta me puso una mano en el hombro. Nunca, en todos los años que yo llevaba estudiando en aquel colegio, me había tocado. Me dijo: «Recoge tus cosas, esta chica te acompañará a tu casa. Que Dios te bendiga». La Neli no me llevó a mi casa sino a la suya. Caminábamos en silencio por las calles del pueblo. Al pasar por delante de la iglesia, ella me susurró que mi padre estaba herido. No me declaró qué le había pasado. Sólo que estaba herido. Le temblaba la voz. Añadió que no me preocupase. No le quise preguntar. Por miedo, supongo. En su casa encontré a mi hermano. Tu tío César iba a cumplir pronto siete años. Era rollizo, todavía lo es, no como su hija María Antonia, que está en los puros huesos. Lo tenían en la cocina untando bizcocho en un tazón de Cola-Cao. Al verme me dijo con una sonrisa sucia de chocolate que papá estaba herido. Parecía contento de comunicarme una noticia importante. Y para demostrar que no mentía se volvió hacia la esposa del sargento: «¿A que es verdad lo que digo, señora Paca?». La Paca le acarició la cabeza. Eso fue todo. No le contestó ni que sí ni que no. Pobre César. Tan inocente. Lo habían sacado del colegio igual que a mí. En cuanto nos dejaron un momento solos le dije en voz baja: «Como se entere mamá de que te quitas el hambre antes de la comida te va a reñir». «Mamá no me va a reñir», respondió, «porque mamá está cuidando a papá.» Le digo que cuando vuelva se lo contaré. «Yo como lo que quiero», dice. «Me deja la señora Paca.» Sentí ganas de arrearle un cachete. No soy pegona, hijo. Nunca lo he sido, así que no temas. Es que yo empezaba a perder los nervios. No porque mi hermano se atiborrara de chocolate y bizcocho, sino porque me irritaba una especie de euforia que le había tomado, como si todas aquellas cosas anormales que estaban sucediendo a nuestro alrededor fueran parte de una fiesta. Alguna vez hemos hablado de esto, ya de mayores, pero no se acuerda. Cuando terminó de beberse el tazón le pregunté si sabía lo que significa estar herido. «Eso es cuando uno se cae», me respondió. No se daba cuenta de nada y ya no insistí. La Paca mandó a la Neli a preguntarme si a mí también me apetecía un Cola-Cao. Dije que no. ¿Cómo iba yo a comer ni a beber con aquel nerviosismo que me apretaba la garganta? Nos propusieron encender la tele. A eso contesté que sí. César y yo estuvimos mirando dibujos animados y otros programas para niños durante más de dos horas, la Neli con nosotros en el sofá hasta que se fue a la habitación de al lado a hablar por teléfono con su novio. Dejarnos solos fue un gran fallo suyo, pues al rato de marcharse empezó el telediario. Y lo primero de todo enseñaron la foto de tu abuelo Antonio de los hombros para arriba, con los galones de cabo. César se entusiasmó y se soltó a dar gritos: «Papá en la tele, papá en la tele». La Neli y la Paca vinieron corriendo a desconectar el aparato, pero ya era tarde, ya yo había oído lo que había oído. Entonces les pregunté sorprendida: «¿Por qué habéis contado que está herido si el hombre de la televisión dice que está muerto?». Según la Paca, no había que fiarse del lenguaje de los locutores. Nos explicó que cuando una persona se hallaba en una situación extrema lo normal era decir que había muerto, pero que teníamos que conservar la esperanza porque seguramente no estaba todo perdido. A mí, hijo, lo de la situación extrema me daba que pensar. Intentaba imaginarme a tu abuelo en la dichosa situación. No se me ocurría nada. En mis pensamientos veía a mi padre con su pelo negro peinado en ondas hacia atrás, con su cara de bromista y su sonrisa de siempre. Todavía lo sigo viendo así, alegre y guapo como era. Yo es que no me lo puedo imaginar de otro modo. No puedo y no quiero. Me arrebataron el padre, pero el recuerdo que guardo de él lo decido yo. Ese recuerdo no es el de un hombre muerto. Tendrían que matarme para borrar su risa en mi memoria. Tú ahora eres muy pequeño para entenderme. Algún día ya me entenderás. Total, que hacia las cuatro de la tarde César y yo recibimos la confirmación de la tragedia. Hasta entonces las mentiras compasivas de la Paca y de la Neli me habían puesto una niebla delante de los ojos. Una niebla ni tan fina que dejara entrever la verdad, ni tan densa que no me permitiera alimentar sospechas. Claro que para rato iba yo a figurarme que aquellas mujeres bondadosas nos engañaban. En esto, hacia las cuatro, como te digo, sonó el timbre de la puerta. Reconocí la voz de mi madre. Quería abrazar a sus hijos. Ay, sus hijos. Que dónde estaban. Que si habían comido ya. Que si ya conocían la desgracia. César y yo corrimos a apretarnos contra su pecho. Tu abuela nos habló con mucha serenidad. «Tengo algo triste que contaros», dijo. «Vuestro padre ha muerto.» No entró en explicaciones. César preguntó en tono tranquilo si papá había subido al cielo. Tu abuela asintió mientras la Paca, detrás de ella, se enjugaba las lágrimas con un cabo del delantal. Años después tu abuela me confesó que se había hecho administrar un calmante antes de venir a vernos. Temía perder la entereza delante de sus hijos. Había incluso rezado para que Dios la librara de desmayarse en nuestra presencia. Nos envolvió a los dos juntos en sus brazos y allí la única que no se podía aguantar los hipos era la Paca. Yo no lloré. No sería por falta de ganas. Ya verás, tesorito, cuando me conozcas. Soy de lágrima fácil. «De clima lluvioso», suele decir tu padre de broma. Por cualquier menudencia suelto el trapo a llorar. Pero aquella tarde, en casa del sargento, se me figuraba que si me mostraba afligida agravaría las penas de mi madre. Olfato que tiene una. Lo hemos hablado tu abuela y yo más de una vez. Quizá los duelos en compañía aportan consuelo por ese motivo. Todo el mundo echa un poco el freno a las emociones para no empeorar las del prójimo. Al final el trance se hace más llevadero. Ésa es mi impresión, no me hagas mucho caso. En soledad, por el contrario, te lo tienes que tragar todo tú solito. Mi madre y yo nos mirábamos serias, las caras muy juntas, sin saber qué decirnos. Los demás tampoco abrían la boca como no fuera tu tío César, que con su voz candorosa le pidió de pronto perdón a mamá por haber tomado Cola-Cao antes de la comida. Se conoce que le remordía la conciencia. Pobre angelito. Mamá le besó en la frente. Entonces yo conté que además del Cola-Cao había comido bizcocho. Mamá fijó en mí sus ojos claros, llenos de ternura, y también me besó. Luego le preguntaron a la Neli si podía sacar del cuartel a los niños. Tu abuela prefería que no estuviéramos cerca cuando instalaran la capilla ardiente. Conque fuimos con la Neli y su novio al centro del pueblo. Como se celebraban las fiestas patronales había música y atracciones. Se veían las calles animadas.

La colcha quemada

Era un domingo de noviembre. Ya se había hecho de noche en la ventana del salón. El marido estaba sentado a una mesa en cuyo centro ardía una vela encajada en una palmatoria. La llama se reflejaba en el vidrio protector de un pequeño cuadro que se hallaba justo detrás, reclinado contra una vasija. El cuadro enmarcaba una estampa en blanco y negro que representaba a santa Rita de Casia con las palmas de las manos juntas, en actitud de rezar, y un destello de unción en la mirada dirigida hacia lo alto. La vela con su palmatoria y la estampa reposaban sobre un mantelillo calado, al que daban la apariencia de un paño de altar.

Despegada con la uña una esquina del esparadrapo, la mujer arrancó de un tirón el apósito que llevaba su marido en la frente. Tenía las manos coloradas, pues acababa de fregar con agua caliente los cacharros de la cena. Él profirió una queja con los ojos cerrados. Al abrirlos fijó la vista en el trozo de gasa que le enseñaba la mujer, sucio de sangre seca. Después irguió el torso en el sillón, no sin dificultad, pues era un hombre al que los años, el resuello corto y el exceso de vientre impedían moverse con agilidad. Preguntó si la herida continuaba supurando. Ella dijo que un poco, aunque no estaba segura. Le parecía, eso sí, que la herida presentaba mejor aspecto que por la mañana. Para empezar, la hinchazón había disminuido. Se notaba, además, que había empezado a formarse la postilla en los bordes.

–Con cuidado, ¿eh?

Al marido se le arrugó el entrecejo viendo a la mujer empapar en alcohol un copo de guata.

–Con cuidado –insistió receloso–, que tú a veces eres bastante bruta. ¡Menuda cómo escuece el líquido de las puñetas!

–No haberte emborrachado.

–Resbalé. ¿Cuántas veces te lo tengo que repetir?

–Pues no llovió. Así que no me explico que resbalaras. Tú venías como venías y eso es todo. ¿O es que me vas a decir que en las cenas con tus amigos bebes agua?

–Bebí lo justo. Y si me di el batacazo fue porque al bajar las escaleras de detrás de la iglesia cedió el borde de un escalón.

–Tú sí que cediste. De la cogorza que traías.

–Esa escalera la construyeron hace quinientos años y puede que me quede corto. Cualquier día serás tú la que se caiga. Entonces ya hablaremos.

La mujer aplicó la guata mojada sobre la herida. En su cara se traslucía la satisfacción que le causaban las muecas de dolor del marido.

–Estate quieto.

Terminada la cura, él mostró interés por saber si ella pensaba dejar la vela encendida por la noche. Lo inquietaba la posibilidad de que, mientras ellos durmieran, la vela rodara a la alfombra y prendiera fuego a la casa. La mujer replicó tajante:

–¿Por qué habría de suceder tal cosa? Aquí no corre viento.

–Ése podría tirarla –dijo el marido al tiempo que señalaba con la barbilla hacia la repisa de la ventana, donde plácidamente dormitaba un gato gris con manchas negras.

–No veo cómo.

–Joé, pues subiéndose a la mesa y sacudiendo un par de zarpazos a esta especie de capilla que has montado.

–El gato pasa las noches en la cocina con la puerta cerrada. Conque hasta que no llame la hija la vela seguirá encendida.

–Pero ya habrá llegado. Por muy ancho que sea el océano, más de doce horas no me imagino que dure el vuelo. Y si hubiera ocurrido una desgracia ya lo habrían dicho por la radio.

–¿Qué clase de desgracia? ¿De qué estás hablando?

–Me entiendes de sobra.

–Por mí como si el viaje dura veinte días. Mientras no llame la hija para contarnos que ha llegado sin problemas no quitaré la vela ni la estampa.

La conversación prosiguió en ese tono durante varios minutos. De pronto fue interrumpida por un estrépito de vidrios rotos procedente del exterior. El gato saltó de la repisa al suelo, llevándose por delante, en su huida precipitada, un cenicero de alabastro. La alfombra amortiguó la caída del pesado objeto. Éste, sin embargo, se partió en los dos cachos que el marido había juntado con cola de carpintero en otra ocasión. Unas a modo de lenguas de fuego cruzaron fugazmente por detrás del cuadrado de la ventana. Apenas un segundo después volvieron a sonar en la fachada del edificio ruidos de destrozos.

Para entonces el gato había escapado hacia el pasillo con el rabo hinchado de miedo. El marido y la mujer permanecían inmóviles, atentos al trapaleo de pasos presurosos que había empezado a percibirse sobre sus cabezas, en el piso de arriba. Oyeron asimismo voces de alarma, entre las que sobresalía, debido a su timbre agudo, la de la hija del vecino. Corría gente dando gritos por las escaleras del edificio. En medio del alboroto no se podía distinguir si eran personas que bajaban o subían. A este punto la mujer salió de su estupor. Decidida a dejar el salón a oscuras, se apresuró a apagar la única lámpara que estaba encendida. Después extinguió de un soplo la llama de la vela y, tras un instante de vacilación, se acercó de puntillas a la ventana.

–¿Adónde vas? –susurró el marido desde su asiento en son de regaño, mientras alargaba los brazos hacia delante en un intento vano por detener a la mujer.

–Ahí están otra vez –dijo ella como para sí. En su semblante de mejillas carnosas se espejaban los fulgores del exterior.

–Por Dios, que no te vean.

–Corre, corre. Ven.

El marido se levantó pesadamente, apoyando las manos, una en el canto de la mesa, la otra en el respaldo del sillón. No encontraba sus zapatillas en la oscuridad. Impelido por la prisa, echó a caminar descalzo. Mientras se dirigía a la ventana oyó a su mujer exclamar:

–¡Hala, otra botella de esas que explotan! ¿No se dan cuenta de que si apuntan mal podría entrar alguna en nuestra casa? ¡No hay derecho! ¡El peligro que nos hacen correr a los que no nos metemos en política!

Su vivienda estaba situada en el piso primero de un inmueble de cuatro plantas. Entre el portal y la acera se interponía una franja de jardín dividida por un camino con un seto de aligustre en cada flanco. Poco antes del final, haciendo esquina, había un espacio limitado por una paredilla que cobijaba el contenedor de basura. La carretera lindaba, por el lado opuesto, con un ribazo al pie del cual discurría un tramo en curva de la vía férrea.

A su llegada junto a la ventana, el marido constató lo que la mujer ya sabía:

–Está ardiendo el balcón del segundo.

–Sí, y debajo tengo puesta a secar la colcha de la hija.

–¿La nueva?

–Voy a meterla ahora mismo.

–Tú aquí quieta. Ya te he dicho que es mejor que no te vean.

–Y si se derrumba el balcón del vecino, ¿qué?

–A estos balcones de ladrillo no los derrumba un poco de fuego.

Cuatro, cinco siluetas juveniles se agitaban entre los arbustos del jardín, las bocas tapadas con pañuelos, las cabezas embutidas en gorros de lana. Se advertía a simple vista que actuaban coordinados, como si cada cual estuviese cumpliendo una función asignada de antemano. Un mozo alto y fornido, el único que se cubría con pasamontañas, hacía indicaciones a sus compañeros subido a la tapa del contenedor. Sus ademanes imperiosos lo señalaban como jefe de la partida. Un chaval de no más de quince o dieciséis años escribía con espray en la pared de la casa, en el camino embaldosado y donde se terciara, *goras* a ETA y amenazas contra el vecino del segundo. Había otro apostado en el borde de la carretera, vigilando la calle.

Lanzada la última botella incendiaria, el cabecilla bajó al suelo de un salto. Hizo un corte de mangas hacia el balcón llameante antes de meterse las manos en los bolsillos. Luego de una sacudida de la cabeza en señal de retirada, cruzó la carretera en dirección al ribazo y se perdió tranquilamente en la noche, seguido de los suyos.

–¡Ay, madre! Fíjate cómo arden los geranios –dijo la mujer.

–Mejor que ardan los geranios que no la casa.

–Sí, pero es una pena. Eran unos geranios preciosos. Ya me gustaría a mí saber dónde los han comprado.

–Mira, ya salen a apagar.

Desde el interior de la vivienda se afanaba el vecino por sofocar el incendio a golpes de escoba. Alargaba los brazos, manteniéndose a distancia prudencial. Había tomado asimismo la cautela de calzarse guantes. Era un señor de entre cincuenta y sesenta años, con una calva lustrosa que al resplandor del fuego enrojecía como una brasa. El calor, quizá la rabia, lo obligaba a fruncir el semblante.

Las llamas brotaban del suelo del balcón y envolvían las rejas de la barandilla, en cuya parte superior los tiestos ardientes, sujetos mediante abrazaderas de metal, semejaban una fila de antorchas. Empujada por el viento, la humareda rozaba la pared, dejando en el revoque un manchurrón cada vez más ancho y más oscuro. Alguien, acaso un familiar, apareció de pronto al costado del vecino y arrojó un balde de agua sobre el fuego. La mala ocurrencia originó una llamarada que hizo recular al vecino y arrastró hacia la calle una lluvia de pequeños objetos incandescentes, parte de los cuales fue a caer en el balcón de abajo.

–¡Pero qué hacen esos imbéciles! –exclamó la mujer, llevándose las manos a la cabeza–. Nos han tirado un montón de porquería encima de la colcha.

–¡San Dios, a ver si se va a quemar! El disgusto que se llevará la hija cuando se entere.

–Yo por mí la hubiera retirado antes. Pero tú –imitó la manera de hablar de él–: no, no, que no te vean...

–Si te apresuras, igual consigues salvarla.

La mujer se dirigió sin pérdida de tiempo al cuarto a través del cual se accedía al balcón. Instantes después, el marido, que no se había movido de su sitio, la vio descolgar con mucha precipitación la colcha del tendedero. Para entonces el vecino de arriba había conseguido dominar el incendio de su balcón hasta reducirlo a unas leves llamas azules y dispersas que no tardaron en extinguirse. La mujer, abajo, examinaba la prenda a la luz que desprendían las farolas desde la acera, atenuada por la distancia. Junto a la ventana del salón, el marido trataba de comprobar si la colcha había sufrido algún daño. Veía que su mujer le arreaba manotadas, pero en aquellos momentos él no podía saber si ella lo hacía para evitar que la prenda se chamuscase o para limpiarla de la ceniza que había caído de arriba.

Desvió la mirada hacia la calle, hacia el cielo nocturno, hacia el horizonte borrado por la oscuridad, y halló complacido que en todas partes reinaba la calma. Supuso que delante del portal se congregarían pronto los policías, los reporteros apresurados y preguntadores, y los fotógrafos de agencia. Como le resultaba fatigoso seguir de pie, decidió acomodar su cuerpo panzudo en el sillón y esperar sentado la nueva perturbación de la tranquilidad vecinal que ya conocía de veces anteriores. Caminaba a tientas para no golpearse con las piezas del tresillo. No bien hubo tomado asiento, palpó con dedos cuidadosos el apósito de su frente mientras prestaba atención a las voces como de disputa que llegaban a sus oídos a través del techo. Sintió al gato rozarse contra las perneras de sus pantalones, deseoso de caricias. Luego oyó venir a su mujer gimiendo por el pasillo. Ella encendió la luz y, sin decir palabra, con los ojos arrasados en lágrimas, mostró al marido el desaguisado que sostenía entre las manos. Al hombre se le escapó una exclamación:

–¡Jesús, María y José!

La colcha estampada, todavía sin estrenar, presentaba en su forro de seda un orificio del tamaño de un plato. A su alrededor se repartían cinco o seis más pequeños, todos con el borde renegrido. Del mayor de ellos extrajo la mujer una porción de relleno socarrado. La sostenía delante de la cara como si estuviera absorta en la lectura de un libro, y, entretanto, el marido la miraba a ella apenado por su gesto mustio y por el brillo lacrimoso de sus ojos.

–¿No se puede coser?

Ella, al pronto, no respondió. Seguía observando ensimismada la pequeña y sucia vedija de miraguano. Pareció despertarse de súbito.

–¿Qué, qué? –balbució, y tras escuchar de nuevo la pregunta, se apresuró a contestar que no meneando con fuerza la cabeza.

Él chascó la lengua en señal de que acompañaba a la mujer en el disgusto y, formando pensamiento de consolarla, le dijo:

–No te hagas mala sangre. Seguro que hay una solución.

–¿Solución? ¡Estás tú bueno! Esta colcha la compramos en Tenerife. ¿Ya no te acuerdas? En el bazar aquel. ¿Qué quieres, que hagamos otra vez el viaje?

–Bilbao queda más cerca. Podríamos mirar allá. Si no la misma, a lo mejor encontramos una parecida antes que la hija haya vuelto de sus vacaciones.

98

–Hala, cállate, cállate. ¿Qué sabes tú de colchas ni de nada?

–¡Concho! Por mirar nada se pierde.

–¿Has olvidado que no somos millonarios? Menos cenas con los amigos y viajaríamos más.

La mujer arrojó la prenda a un lado sin dignarse mirar dónde caía. Del cajón de un aparador que estaba próximo a la puerta sacó una caja de fósforos. Sus manos temblaban de enfado cuando encendió de nuevo la vela ante la estampa de santa Rita.

–¿Quién me mandaría a mí apagarla? Cinco minutos sin el amparo de mi santa. ¡Cinco! Y ya nos cae una desgracia.

–Oye, calma, ¿vale?

–Dios mío, Dios mío, espero que no le haya pasado un contratiempo a la hija.

–Deja a la hija en paz. La hija estará ahora llegando al hotel y mirando las olas del Caribe por la ventanilla de un taxi.

–Si llama me pongo yo, ¿eh? Tú serías capaz de...

–¿De qué?

–Pues de estropearle las vacaciones contándole lo de la colcha.

–Más fácil es que te vayas tú del pico que no yo, ¡nos ha jodido! ¿Por quién me tomas?

El gato saltó sobre el regazo del marido. Le rozó la cara varias veces con la punta del rabo antes de acomodarse junto a su panza. Entrecerrados los ojos de gusto, la cabeza descansada sobre las patas delanteras, se dejaba acariciar ronroneante.

–Llevamos dos ataques desde el verano –dijo él.

–Dos con fuego. Porque si cuentas las piedras contra

las persianas y las pintadas en las paredes salimos a media docena de sobresaltos por mes, algunos a las tantas de la noche. No hay quien lo aguante. En octubre pagamos el arreglo de la fachada con los fondos de la comunidad. ¿Qué, a pagar mañana de nuestro bolsillo los nuevos desperfectos? ¿Y quién nos asegura que esos chavales no vuelven dentro de unos días? ¡Ya está bien, por Dios!

–Joé, a mí lo que de verdad me preocupa es que le coloquen una bomba al vecino y se nos caiga la casa encima.

–Sí, pues fíate. No sería la primera vez.

–Y todo por meterse a concejal. Yo es que no me lo explico. Si sabe que ETA se cepilló al que ocupaba el cargo antes que él, ¿para qué se arriesga? ¿Le gusta ir de mártir por la vida o qué? Y si dijéramos que vive solo en el monte y que le apetece jugarse el pellejo sin ponernos a los demás en peligro, pues bueno, allá cuidados. Pero es que esto es la rehostia.

–Esto hay que hablarlo en la vecindad. Así no podemos seguir. Tú dirás lo que quieras, que el vecino es buena persona y tal y cual, pero así –recalcó cada sílaba– no-po-de-mos-se-guir.

–Yo esperaría a que vuelva la hija. Ella sabrá lo que conviene hacer. Ha estudiado.

–Pues yo en la tienda pienso sacar el tema mañana mismo. A ver qué opina la gente del barrio.

–¿Qué va a opinar? ¡Lo mismo que tú y que yo! Que en esta casa hay un problema y tenemos que solucionarlo. En realidad con quien habría que hablar es con el vecino. Decirle que lo sentimos mucho, pero que por favor se vaya buscando otro domicilio. Que se instale en el pueblo de al lado o en Bilbao hasta que se arregle la cosa. Tiene que comprender que nos crea situaciones muy difíciles. Si quiere le ayudamos. Porque, bueno, no tenemos nada contra él, ¿no? Fíjate, yo, si me apuras, estoy dispuesto a organizar una colecta para facilitarle la mudanza y que le salga gratis.

–Anda, sube y díselo. A ver si te atreves.

–Hoy no, mujer. ¡Pues no estará nervioso ni nada! Pero descuida, que cualquier día se lo digo con buenas maneras. A poco que piense me hará caso. ¿Tú crees que sus compañeros de partido no le habrán aconsejado que tome precauciones? En este barrio está muy expuesto. Aquí, si no se lo han cargado todavía es porque no han querido, por mucha escolta que lleve. ¿Cuántas veces lo hemos visto en la acera solo con el perro? Bastaría un tío con una pistola, pum y al cementerio.

Guardaron silencio unos instantes, ella con la vista parada en la llama de la vela, él rascando al gato entre las orejas. La mujer hizo un mohín de lástima y dijo:

–A mí sobre todo me da pena la vecina. Es un pedazo de pan, tú bien lo sabes. ¡Nos hemos hecho tantos favores la una a la otra! Y también lo siento por su hija. De pequeña, ella y la nuestra parecían uña y carne, siempre juntas, siempre bien avenidas.

–Pues sí, pues sí. Pero... hay que comprender que él nos pone en un aprieto. Las cosas como son.

–¿Para qué se habrá metido en política si con lo que gana en la fábrica de muebles puede vivir estupendamente?

Venían ululando a lo lejos las sirenas de la policía. Al rato entró en la calle una fila de furgones que se detuvieron en el mismo sitio que la vez anterior. Sonaron como entonces las puertas cerradas con violencia. Sonaron voces confusas y ladridos de un perro en la vecindad. Sonó una ráfaga de timbrazos dentro del edificio.

Tras depositar el gato en la alfombra, el marido se levantó poco a poco del sillón. A pasos cortos se dirigió hacia la ventana.

—Ya están ahí los de la Ertzaintza —dijo.

—A buenas horas.

La mujer permaneció sentada. Había recogido la colcha del suelo y, con mueca torcida, la estaba examinando.

—¿No vienes? —le preguntó el marido.

—¿Para qué? —respondió ella con sequedad—. Me sé de memoria el espectáculo.

Encaramado a la repisa, el gato se lamía las patas. De vez en cuando echaba una mirada soñolienta hacia la calle.

Informe desde Creta

Mi querida amiga:

Tenías razón (una vez más, y ¿cuándo no la tienes?, me pregunto), esto del ordenador portátil es una gozada, yo al menos le he cogido un gusto que no veas. Te agradezco de todo corazón el consejo que me diste de comprarlo. Sólo por eso estaría justificado que escribiera para tu archivo particular el informe o relato o como quieras llamarlo que me pediste, aunque bien sabes que la razón principal de emprender la tarea (¡en plena luna de miel!) no es otra que corresponder modestamente a lo mucho que nos has ayudado. De no haber sido por ti dudo que Santi y yo estuviéramos ahora compartiendo unos días de felicidad en esta hermosa isla. En fin, te lo digo como lo siento y porque además me consta que si no te lo dijera sería incapaz de seguir pulsando las teclas. Va para cuatro días que llegamos a Creta. A la salida del aeropuerto nos recogieron en un microbús con el que viajamos por una carretera llena de cuestas hasta el pueblito donde está nuestro apartamento, cerca de la punta occidental de la isla. Por el camino, el tiempo se fue poniendo feo, con nubes y un viento bastante fuerte, y pensé si aquello no sería un mal augurio. Por fortuna, pronto me percaté de que mis preocupaciones eran melindres de recién casada. El día siguiente amaneció despejado y desde entonces hemos tenido cielo azul, temperaturas agradables (también por las noches), una brisa con olor a mar que es una delicia y, en una palabra, muy buena suerte en todo. Yo me había hecho el ánimo de escribirte cada día una o dos páginas aprovechando los pocos momentos en que Santi se aparta de mi lado. No es que pretenda esconderme. No hay nada, y él lo sabe, que yo le quiera ocultar. Ocurre simplemente que trabajo mejor si me quedo a solas con mis pensamientos. Quizá haya influido también en mi plan el temor a implicarme en una actividad que robara espacio y tiempo a las vacaciones. Creía poder escribir un rato por la mañana, antes del desayuno, cuando Santi baja a pegarse su chapuzón diario en la ensenada, y otro después de la comida, mientras echa la siesta. Ni una cosa ni otra han sido posibles hasta hoy. Por la mañana, entre que me cuesta despabilarme y necesito a toda costa una taza de café para recobrar mi condición de persona, me noto incapaz de discurrir. En cuanto a la siesta, se ha convertido en parte de nuestros ritos amorosos, tú ya me entiendes. Hoy domingo, por primera vez desde nuestra llegada, he podido de verdad sentarme a escribir. Y lo bueno del caso es que dispongo del día entero, ya que Santi acaba de unirse a un grupo de turistas para recorrer la isla en autobús con su guía y su programa de visitas, y no volverá hasta la hora de la cena. Iba contento como un niño. Ayer encontramos el anuncio por casualidad en la oficina donde atienden a los inquilinos de los apartamentos. En principio teníamos pensado hacer una excursión por nuestra cuenta en un automóvil de alquiler. La aventura entraña ciertas complicaciones. Ni hablamos griego ni es probable que los habitantes de las aldeas del interior sepan inglés. Tampoco me parece a mí especialmente excitante jugarnos la vida por unas carreteras estrechas de sube y baja en busca de unas ruinas minoicas, pongo por caso, sobre las que no entenderíamos ni jota si no hubiera quien nos proporcionase las debidas explicaciones. Además, sinceramente, a mí la cosa cultural, en mi luna de miel, no me interesa. Más me tira ir de compras a Heraklión, pues el pueblo adonde hemos venido a parar, con estar situado en un paisaje de ensueño, ofrece escasas posibilidades de consumo. De todos modos, el viaje a la capital lo haremos otro día que no caiga en fin de semana para que podamos encontrar las tiendas abiertas. En ese caso puede que sí alquilemos un automóvil, ya veremos. Pues como te iba diciendo, salíamos de la oficina cuando Santi vio el cartel. Con todo entusiasmo le preguntó en su inglés imperfecto a la chica de la recepción cuánto valía un viaje para dos. A la chica le costó un rato entender a Santi. Luego hizo un gesto para expresar que lo sentía mucho. Para la excursión de hoy domingo sólo quedaba una plaza libre. «Vete tú», le dije a Santi. Se agachó para darme un beso y me susurró al oído: «Tú quieres quedarte sola para escribirle a la psicóloga sobre lo mío, ¿eh?». Le pregunté si tenía algo en contra y dijo que no. El resto te lo puedes imaginar. Ahora son las diez de la mañana; hace un día espléndido, que ni sacado de una postal del paraíso; estoy sentada en la terraza del apartamento, bajo una sombrilla, con mi ordenador nuevo, mis gafas de sol, una botella de zumo de piña y otra de agua mineral, y ante mí se extiende, hasta donde alcanza la vista, tranquilo y no sé si azul o verde o las dos cosas al mismo tiempo, el mar de Creta. Espero poder enviarte la historia entera esta misma tarde por correo electrónico, antes que Santi haya vuelto de su excursión. De ese modo estaré libre de compromisos durante el resto de las vacaciones. Para empezar, hagamos correr el tiempo un año y medio atrás, cuando me faltaba poco para cumplir los treinta. Vivía en un piso de soltera en Chamberí; tenía un sueldo, una gata blanca y un novio estable (al menos era lo que yo creía hasta que le juné las entretelas al canalla, pero ésa es una historia larga y sucia que no viene a cuento). Me habían hecho fija en una sucursal del banco que había empezado a funcionar por entonces en Moratalaz. A los pocos meses falleció una compañera a consecuencia de un accidente de tráfico. Su trabajo nos lo repartimos entre varios; pero era mucho jaleo, así que le pedimos al director que solicitara refuerzos a la central. Al cabo de unos días enviaron a un hombre de buena planta. Tenía veintinueve años; por su porte, su vestimenta, su gravedad, aparentaba varios más. No me causó una impresión particular, aparte de que como le asignaron el escritorio de la compañera fallecida, medio tapado por una mampara, apenas lo veíamos. El primer día, rojo de timidez, nos estrechó la mano y nos declaró, a modo de presentación, su nombre y apellidos. Enseguida agregó que en la oficina de la que procedía todos lo llamaban Santi. Era, cómo te diría yo, corto de palabra, de ademanes correctos, de gestos poco vivos, y como no soltaba una sonrisa ni de casualidad, nos quedamos callados sin saber cómo corresponder a aquella manera tan seria de presentarse. Aquel día vino, además, trajeado como un anciano, en serio, todo de gris con una corbata tan formal y tan fuera de moda que me parecía imposible que no le transmitiera la sensación de estar descolocado, pues en nuestra sucursal, salvo el director, que es el único que pasa de los cincuenta, ninguno se viste como nos pintan a los empleados de la banca en las tiras humorísticas de las revistas. Hoy sé que a Santi le desagrada llevar corbata y que fue su madre quien le encargó aquel traje hortera con la idea de que él, hijo único, causara buena impresión en su nuevo lugar de trabajo. El segundo día vino, como si dijéramos, más normal, aunque seguía mortificando los olfatos del prójimo con un perfume que pronto, a raíz de un comentario que le hicieron, dejó de usar. En breve tiempo nos acostumbramos a su presencia silenciosa, a sus escuetos saludos, a sus miradas inexpresivas. Al director se le notaba satisfecho con él, ya que Santi, además de un empleado laborioso y competente, es de esos que no vacila en abandonar su asiento para echar una mano a un compañero en apuros. Lo mismo te resuelve un problema del ordenador que te libra con sus conocimientos y sus maneras apacibles de clientes conflictivos, que los hay y no pocos, por cierto. Sabe un montón sobre el mercado de capitales, sobre negocios de divisas y sobre otras muchas cuestiones financieras, hasta el punto de que el director lo llama a menudo a su despacho para preguntarle esto y aquello y qué harías tú y tal y cual. En cuanto a mí, si me hubieran preguntado por entonces qué pensaba yo de él, creo que no habría sabido responder. Santi no me llamaba más la atención que el mobiliario de la sucursal. Allí podías encontrar un mostrador, unas acuarelas enmarcadas, un reloj de pared y a Santi, que como llegaba siempre el primero y se iba el último parecía un elemento decorativo más. No sé si me explico, pero, como me pediste que te escribiera con naturalidad, yo te lo cuento todo como me sale. Un día Santi nos dio un susto bastante grande. A punto de bajar la persiana, entró a atracarnos un individuo con la cabeza embutida en una media de nailon. Se acercó al mostrador y apuntó con su pistola al cajero de turno. En realidad poco se podía llevar. Se le explicó que la caja fuerte es de apertura retardada. Al tipo le costaba una barbaridad expresarse. Quizá no entendía nuestro idioma, quizá estaba drogado. Mi compañero le dijo con mucha calma que le podía entregar lo que estaba a la vista, una cantidad modesta en billetes pequeños y monedas. El atracador cogió aquello y se largó. En fin, todo esto ya te lo conté en una ocasión, así que ahorraré pormenores. Mientras esperábamos a la policía, alguien cayó en la cuenta de que Santi había sufrido una lipotimia en su rincón. Como sabes, pedimos ayuda en una farmacia que hay al otro lado de la calle. Santi se recuperó enseguida. Me encontraba cerca cuando le desabrocharon la camisa. En su aturdimiento repetía la palabra «pistola». Era como si tratase de advertirnos de un peligro. «La pistola, la pistola», decía. Descubrí con agrado que Santi tenía un pecho ancho, musculoso, ligeramente cubierto de vello. Fue la primera vez que aquel compañero taciturno me causó una impresión que iba más allá de lo meramente profesional, aunque aún hubo de pasar bastante tiempo antes que empezara a sentirme atraída, aún más, intrigada por su persona. Yo lo consideraba por entonces (espero que nunca se entere) un hombre gris a quien se le estaban acabando los mejores años de la vida sin haber sabido sacar provecho de su atractivo físico. Los demás solíamos charlar a menudo sobre detalles concernientes a asuntos privados. El uno revelaba sus planes para las próximas vacaciones, el otro nos refería sus conflictos con los vecinos, y de este modo, salvo que hubiera mucha afluencia de público, nos las arreglábamos para combatir la monotonía de la jornada laboral. Santi jamás participaba en esa clase de conversaciones. Yo al menos no recuerdo que por aquella época hubiera salido alguna vez de sus labios una confidencia. A mí me dicen entonces que este hombre carecía

110

de una vida fuera del recinto de la sucursal y me lo creo. Resultaba difícil adivinar su estado de ánimo, como si llevara puesta una careta con una expresión invariable de seriedad, de sosiego, de concentración en el trabajo. El colmo era cuando al final de la jornada nos despedíamos unos de otros y él permanecía sentado detrás de la mampara con el entrecejo fruncido y los ojos clavados en la pantalla del ordenador. Malas lenguas murmuraban que se quedaba allí para hacer compañía al director y darle coba. Si alguno se permitía una broma: «Santi, ¿vas a pernoctar en el banco?», él respondía sin alterarse que deseaba despachar una pequeña tarea antes de ir a casa. Insistía a menudo en lo de pequeña. Aún lo estoy oyendo: «Me iré enseguida, en cuanto acabe una pequeña tarea». (Amiga mía, me temo que es hora de pegarse un refrescón en la piscina y de tomar un piscolabis. Volveré dentro de media hora.) En el bar, el chico de la barra me ha obsequiado con un vasito de *ouzo* que ojalá no se me suba a la cabeza. Estate tranquila porque de momento cada dedo encuentra su tecla. Pues siguiendo con la historia, voy a referirme al asunto de los dibujos. Lo conoces de sobra, pero como la última vez que nos vimos mostraste tanto interés en que te lo contara por escrito, ahí va. Cierto día advertí en Santi una costumbre o manía (ignoro el nombre que dais a esto los expertos). Ahora que lo pienso, no logro acordarme de si la descubrí por mi cuenta o me la señalaron; tampoco creo que esta cuestión importe demasiado. Aquella costumbre, en principio, no me parecía rara. Te confieso que yo misma, en casa, cuando sostengo conversaciones por teléfono, no paro de trazar monigotes, rayas y figuritas geométricas en el bloc de notas que suelo tener al lado del aparato. Se trata de un simple pasatiempo al que me entrego de manera inconsciente. Imagino que en esto no me distingo de otras personas. Sin embargo, en el caso de Santi resultaba llamativa la intensidad de la costumbre y, sobre todo, no lo debemos olvidar, la circunstancia de que siempre, absolutamente siempre, repetía idéntico modelo de dibujo. Era, como sabes, pero para que conste en tu archivo, una hilera horizontal de cinco cuadrados puestos uno al lado del otro como fichas de dominó. Su tamaño podía variar; pero tanto si los hacía grandes, medianos o pequeños, los cuadrados guardaban entre sí la proporción. La causa de esto es que en primer lugar dibujaba un rectángulo y luego, mediante líneas verticales, establecía las cinco divisiones. Dentro de cada cuadrado trazaba a continuación un redondel. ¡Los litros de tinta que habrá consumido este hombre dibujando esas figuras! Por regla general las hacía sin esmero, sin calma, sin prestar atención al movimiento de la mano, poseído por un ansia que, según todos los indicios, era incapaz de dominar. ¡Justo él que se mostraba por lo regular tan aplomado! Cada vez que por alguna razón me acercaba a su escritorio, veía las filas de cuadrados y redondeles por todas partes: en los bordes de algunos impresos, en hojas sueltas, en el calendario de mesa. Un tipo misterioso, el Santi. Buen compañero, excelente persona, guapo, cordial y provisto de las cualidades necesarias para triunfar en la vida; sin embargo, allá estaba, silencioso y medio agazapado en aquel rincón del que no salía a menos que alguien solicitara su presencia. ¡Y a mí qué!, pensaba yo. Bastantes quebraderos de cabeza tenía por culpa de mi novio como para andar ocupándome de los garabatos de un compañero de trabajo. Empecé a sentir un interés personal por Santi a raíz de una casualidad. Lo que me impulsó a detener la mirada en él no fue la atracción erótica (eso habría de venir después), sino la curiosidad y en parte, no lo voy a negar, la pena. Santi llevaba cosa de un año en la sucursal de Moratalaz. Su vida privada seguía siendo un cuarto oscuro para todos, bien porque él no era dado a abrirse a los demás, bien porque a los demás nos importaba un rábano su vida privada. Finalmente yo había conseguido romper la relación tormentosa con mi novio de entonces. La relación había degenerado hasta el punto de que perderlo a él de vista fue como sacarse una piedra del zapato. ¡Menudo alivio! Libre de ataduras sentimentales, me apresuré a emprender un viaje a la costa, a renovar el vestuario, a cortarme el pelo y a recobrar algunos hábitos de los viejos tiempos; entre ellos, el de salir con amigas. Todavía me pregunto por qué no mandé antes a la mierda al tonto del haba. Un día, hablando con Sonsoles, supe que ella participaba en un grupo de aeróbic que se reunía una vez por semana en un gimnasio de la calle Santa Engracia, a menos de cinco minutos de mi apartamento. Me preguntó si no me apetecía acompañarla. Para convencerme argumentó que desde que hacía ejercicio había perdido dos o tres kilos y se sentía la mar de a gusto dentro de su cuerpo. Adelgazar, lucir una buena figura, mirarse sin temor en el espejo: todo aquello me sonaba a música celestial, pero había un problema. Y es que las clases de aeróbic a las que se había inscrito Sonsoles empezaban media hora después que yo terminara mi trabajo en Moratalaz. Imposible llegar puntual con el metro. Podía llamar a un taxi. Ahora bien, lo último que yo deseaba era correr, cargarme de molestias y crearme situaciones de estrés en mi tiempo libre. Sonsoles me dijo que no me preocupase, que ella pasaría a recogerme en su automóvil. Así lo hicimos. Los jueves me esperaba a la puerta de la sucursal. Juntas nos íbamos a menear el cuerpo donde tú bien sabes, mientras sonaba la música y la monitora nos taladraba los oídos con su voz aguda. Acabábamos, ¿te acuerdas?, con la lengua fuera, pero contentas. La cuarta o quinta vez que Sonsoles vino a buscarme, un motorista chocó contra la parte trasera de su automóvil en el momento en que yo me montaba y abolló el parachoques. No fue nada grave. El motorista se quejaba de que Sonsoles había aparcado en doble fila. La conversación se prolongó por espacio de varios minutos. En ese tiempo, Santi terminó la pequeña tarea que todos los días, al término de la jornada laboral, lo retenía un rato sentado a su escritorio y salió a la calle por la puerta de los empleados. Nosotras nos disponíamos a iniciar la marcha, sentada cada una en su asiento. Fue entonces cuando Sonsoles reparó en él. «¿Qué hace ése aquí? ¡Por Dios, que no me vea!» Y así diciendo, se agachó detrás del volante con el fin de que Santi no la pudiese ver. Encogida como estaba, me urgió a que le alcanzase unas gafas de sol que guardaba en la guantera. Se las puso y esperó a que yo le confirmase que Santi había doblado la esquina para salir pitando del sitio. Le pregunté si mi compañero de trabajo era, en sus horas de ocio, un destripador. Sonsoles encontró el chiste poco afortunado. Por el camino me contó que dos años atrás Santi y ella habían probado a salir juntos. «Cualquiera diría que le has cogido miedo», le interrumpí. Reaccionó como una gata: «¿Miedo yo? ¿A ése? De miedo nada, monada. Lo que pasa... En resumen, le di esquinazo y no me apetece que venga a pedirme cuentas». Me miró con esos ojos que a veces pone, achinados por la malicia. Subimos por Doctor Esquerdo y atravesamos el barrio de Salamanca sin hablar de otra cosa. Le dije que Santi gozaba de buena reputación entre los compañeros del banco, pero que lo considerábamos, eso sí, poco comunicativo. Sonsoles me refirió con palabras no muy distintas de éstas lo siguiente: «Por los tiempos en que tuve trato con él, Santi era un pedazo de pan. Probablemente lo siga siendo. Yo, por ese lado, no tengo nada que reprocharle. También creo que debido a su carácter, a sus manías o a lo mal que lo crió su madre, Santi no está en condiciones de mantener una relación íntima con nadie. Su inseguridad me sacaba de quicio. Te contaré un caso de tantos para que me entiendas. Una tarde que subíamos por Gran Vía le propuse entrar en el cine. Me dice que primero tiene que llamar a su madre. ¡Qué cosa más extraña!, pensé. Pues no te jode que a su edad se mete a llamar por teléfono en una cafetería que hay al lado del cine, sale y me dice que lo siente pero que preferiría no ver la película. Pero ¿por qué?, le pregunto. ¿Es que no te lo permite tu madre? Me responde que su madre no estaba en casa y que, si no me importa, le parece mejor que dejemos el cine para otro día. Del padre no hablaba nunca. A mí me da que el buen señor se largó de casa porque no aguantaba a la mujer ni al hijo. Alguna vez que saqué a relucir el tema del padre, él se apresuró a desviar la conversación, así que preferí no insistir. En total salimos juntos en diez o doce ocasiones. Fue todo lo que pude soportar. La última noche que nos vimos lo llevé a mi piso. No sé si me habían puesto un afrodisíaco en la cena. El caso es que yo estaba a punto de caramelo, con unas ganas horrendas de echar un polvo. Joé, le serví una copa y en un momento dado me arrimé y le toqué sin contemplaciones donde les encanta que les toquen. Noté que se estiraba, que se ponía rígido y como a la defensiva, y luego coge y con cara de funeral me pide que por favor no continúe. ¿Será impotente? ¿Será gay?

Problemas. Con él siempre había problemas, complicaciones, engorros. Al rato fingí que me dolía la cabeza, nos despedimos y hasta hoy. Durante un tiempo me estuvo llamando por teléfono. También me mandaba mensajes tiernos por correo electrónico. Luego, cuando me dieron el trabajo en el periódico, no le dije nada. Me mudé de barrio y él ya no me pudo encontrar. La verdad es que me dolió que la relación no prosperara porque ya te digo que Santi era un tío atento y cariñoso. Pero es que me deprimía, te lo juro. Me destrozaba el ánimo con sus rarezas y sus reacciones incomprensibles». Acordé con Sonsoles que a partir de la semana siguiente ella me recogería cada jueves en la calle paralela, junto a la parada del autobús. Cuando me hizo la propuesta le pregunté de broma si se había inspirado en alguna película. Se mostró tajante: «No quiero problemas, eso es todo». En adelante ya no me fue posible mirar a Santi como si formara parte de la decoración de la sucursal. A menudo, durante el trabajo, me dedicaba a observarlo a hurtadillas, picada por la curiosidad. Me persuadí de que aquel hombre escondía un secreto. Si me apuras, a lo mejor es eso lo que pienso de todos los hombres con pinta de inteligentes a los que conozco de manera superficial. Pero el caso de Santi era distinto. En él había algo, yo no sabía aún qué, pero de todos modos algo que despertaba en mí un deseo ferviente de emprender averiguaciones. La intuición me decía que Sonsoles no se había adentrado gran cosa en la oscura personalidad de Santi. Había visto lo de fuera, los síntomas, los reflejos en la piel. (No te extrañe que a escasos metros del mar me dé la vena poética.) Un día me vino un cliente de edad avanzada con un problema relacionado con el cobro de una transferencia. Yo no terminaba de entender lo que quería. Entonces el compañero que estaba a mi lado me hizo la sugerencia habitual en tales casos: «¿Por qué no lo consultas con Santi?». Fui a consultarle. Él interrumpió su tarea y se puso a estudiar en el ordenador los datos del cliente. Me fijé en sus dedos largos que se movían a gran velocidad sobre el teclado. El color rosado de sus manos, las palmas anchas, los pelillos del dorso y el reloj de pulsera con la correa negra de cuero me causaron un cosquilleo de fascinación. Encima del escritorio no había ningún objeto personal que pudiera proporcionar pistas sobre su vida privada: ninguna foto familiar como las que tenía el director en su despacho, ningún adorno que revelara una afición, nada que no fuera papeleo bancario. La única excepción eran los cuadrados y redondeles repartidos por los márgenes de algunas hojas. De repente, sin apartar los ojos de la pantalla, Santi me preguntó, como quien no quiere la cosa, si Sonsoles ya no venía a buscarme los jueves. Me sentí igual que si alguien hubiera abierto de golpe la puerta de mi dormitorio y me hubiera pillado desnuda. Intenté disimular la turbación. Cuidado, pensé, este tío es más listo que el hambre. Me dieron tentaciones de hacerme la ingenua. Claro que si él descubría el juego, menudo corte. Superado el asombro del primer momento, decidí pasar al ataque. Le pregunté con retintín si se dedicaba a espiarme. Permaneció en silencio, como esperando que yo añadiera algo más. En vista de que yo no decía nada, salió de su rincón para atender personalmente al viejo. Al volver me susurró al oído que quería hablarme. Lo seguí. A resguardo de la mampara me invitó, más serio que un panteón, a cenar por la noche en un restaurante. ¡Caramba con el gran tímido! Me entraron tentaciones de decirle que tenía un compromiso. En buena hora me mordí la lengua: si le hubiera dado calabazas, quizá no estaríamos hoy en Creta enamorados como dos adolescentes. Recurrí al truco de mirar el reloj para ganar un poco de tiempo. Le dije que dentro de una hora le respondería. Se me figuraba que para entonces se me habrían disipado las dudas. Lo cierto es que, transcurrida la hora, yo no sabía aún si aceptar o no la invitación. De pronto noté que un dedo me tocaba suavemente en un hombro. Me volví. «¿Ya te lo has pensado?» Su gesto impasible, sus modales desapasionados, no encajaban con lo que una entiende por artimañas de un seductor. En aquel instante, te lo confieso, sentí dentro de mí un pinchazo de desagrado. Le pregunté a Santi, sosteniéndole la mirada, si pretendía utilizarme como puente para llegar a Sonsoles. Ni siquiera pestañeó. «No me interesa Sonsoles.» «¿Buscas un ligue?» Enseguida me di cuenta de que el amor propio me había jugado una mala pasada. Ya era tarde para poner remedio al desliz. Él se tomó mi estúpida pregunta con calma. «No busco», dijo, «nada que te pueda crear molestias.» A las nueve de la noche nos encontramos delante de la puerta de un chino que alguien le había recomendado. Hacía calor. A mi llegada, Santi estaba esperando en mangas de camisa. Llevaba vaqueros claros y zapatillas deportivas. Yo, en cambio, fui vestida como para una recepción diplomática, con mi traje azul de chaqueta, zapatos de tacón (que producían un clac-clac sobre los adoquines de la acera que me colmó de vergüenza) y mi mejor collar. Sólo me faltaba la pamela para terminar de hacer el ridículo. Santi tuvo la delicadeza de no sonreír. Intercambiamos cumplidos. «No te conocía tan informal», le dije sin el menor asomo de ironía. Correspondió en un tono parecido: «Tú estás muy elegante». Durante la cena, me confesó que más de un jueves nos había adelantado a Sonsoles y a mí por Doctor Esquerdo con su automóvil. En una ocasión estuvo parado a nuestro lado, delante de un semáforo en rojo. Al parecer íbamos hablando con tanto entusiasmo que no nos dimos cuenta. Aquella noche conocí a un Santi relajado, conversador y hasta ingenioso. Tenía unas habilidades poco frecuentes. Consiguió, por ejemplo, colocar tres granos cocidos de arroz uno encima de otro, en el borde del plato, pinzándolos con los palillos. Me contó un montón de cosas con tanta gracia y naturalidad que por un momento llegué a creer que el hombre que estaba sentado frente a mí no era el compañero reservado con el que coincidía a diario en la sucursal. Y entre mí me decía: ¿Éste es el tipo impenetrable, cargado de problemas, del que Sonsoles se aparta como de un leproso? Supe que el trabajo en el banco lo aburría. Más de una vez había pensado en la posibilidad de dedicarse a negocios bursátiles o de fundar una sociedad inmobiliaria si encontraba un socio de confianza, pero lo cierto es que todavía no se había decidido a dar los primeros pasos. En fin, me reveló con total franqueza, bromeando sobre la idea de llegar a la jubilación en la sucursal de Moratalaz, su falta de planes para el futuro. A mí me interesaba más su pasado. Después de no pocas dudas y aprensiones, me atreví a tocar el tema. Santi siguió igual de expansivo que hasta entonces. Eso me dio ánimos para dirigirle algunas preguntas. Averigüé que había nacido en San Sebastián, en cuyo cementerio está enterrado su padre. Me entraron ganas de llamar a Sonsoles por teléfono. ¿De dónde sacaba ella que Santi se negaba a hablar de su padre, aún más, que se largaba a casa corriendo en cuanto se lo mencionaban? ¡Anda ya! Así y todo, no me pasó inadvertido un detalle. Mientras evocaba escenas de su infancia, Santi no paraba de rayar sobre el mantel, con una uña, sus típicas hileras de cuadrados y redondeles. Se lo conté a Sonsoles el jueves siguiente, dentro del jacuzzi, ¿te acuerdas?, que fue cuando te conocí y supe que dabas clases de Psicología Clínica en la universidad. Sonsoles nos presentó. Acto seguido, criticó a Santi con tal furor que entre mí pensé si no andaría ella recomiéndose de celos. Me entraron ganas de pedirle que me explicara la clase de relación íntima que había mantenido con Santi si ni siquiera sabía que él estuvo viviendo en San Sebastián hasta los nueve años. Digo yo que, cuando una sale en serio con un tío, lo normal es que se interese por su biografía, por sus aficiones, por su familia, ¿no te parece? Aquella tarde me dijiste dos cosas que no he olvidado: una (en clara alusión a Sonsoles), que no sacara conclusiones hasta no estar segura de conocer a fondo a Santi; dos, que, siendo él persona retraída, me había abierto una ventana a su intimidad porque probablemente me situaba al margen de las causas que suscitaban su introversión. Adujiste el ejemplo del niño que en el colegio no abre la boca y en casa, rodeado de familiares, no calla. Me convenciste de que Santi había depositado en mí algún tipo de sentimiento positivo. Eso, qué quieres que te diga, me halagó. A tu juicio, podía pensarse que él me había invitado al restaurante para comprobar que no se había equivocado en la elección. Su franqueza, su locuacidad, sus deseos de agradarme durante la cena, los interpretaste como una especie de premio o recompensa por la confianza que yo le inspiraba. Sonsoles se entrometió campechana: «Se la querrá tirar, eso es todo». Tú replicaste mirando hacia mí: «Si fuera verdad que ese amigo tuyo padece una lesión psíquica no me extrañaría que, sin darse cuenta, te haya enviado un mensaje de socorro. No me preguntes para qué ni por qué. Pero descuida, que si estoy en lo cierto, no tardarás en comprobarlo». (Amiga, noto desde hace un rato que me cuesta ordenar las ideas por culpa del estómago vacío. Tengo que repostar. El problema es que en el comedor andará suelta la manada hambrienta de turistas y perderé un montón de tiempo haciendo cola y buscando una mesa libre. Así que pondré a hervir en la minúscula cocina del apartamento un puñado de raviolis con tomate de sobre y voy que chuto. Doy paso a la publicidad. No te vayas.) Reanudo la tarea, pero ahora dentro del apartamento porque en la terraza pega el sol de lo lindo. Espero que con los cafés que llevo tomados no me entre la soñarrera. ¡Pobre Santi, el calor que estará pasando! Pues siguiendo con lo que te decía, las cenas en el restaurante chino se convirtieron para nosotros en un rito semanal. Establecimos por entonces una relación sin componente amoroso. Simplemente formábamos una tertulia de dos amigos. Ni nos abrazábamos, ni nos hacíamos carantoñas, ni nos dábamos más besos que los que se dan en la mejilla, cuando se encuentran o se despiden, las personas que se caen bien. Teníamos mucha conversación, bastante risa y ningún problema, a pesar de los pronósticos agoreros de Sonsoles. Más tarde empezamos a ir juntos a algunos sitios: al Reina Sofía, a conocer escritores en las presentaciones de libros, incluso al fútbol, pues a Santi le tira el Atlético una barbaridad. Pronto advertí una anomalía en su conducta que me encendió dentro de la cabeza una lucecita de alarma. A este respecto debo romper una lanza en favor de Sonsoles. Fue aquella historia suya de la llamada telefónica la que desde un principio me llevó a sospechar que Santi evitaba meterse en los cines. No se negaba en redondo, eso no. Recurría a excusas, a subterfugios, a indisposiciones repentinas; se inventaba imprevistos que lo retenían en casa o, con cualquier excusa ingenua, me hacía esperar junto a la puerta del cine el tiempo suficiente para que, a su llegada, no mereciera la pena entrar a ver la película. Semejante comportamiento Sonsoles lo achacaba a influencias de una madre mandona. «Lo domina tanto», decía, «que no le ha dejado madurar. ¡Aún recuerdo con qué mueca de susto corrió a pedirle permiso aquella tarde!» Le pregunté a Sonsoles si había tenido ocasión de conocer a la señora. Dijo que Santi nunca se lo había propuesto. «Seguramente», añadió, «por temor a que yo lo viera convertido en un pelele.» Tú no quisiste descartar esa posibilidad. A primera vista se te figuraba más verosímil que la que yo defendía. Mis conjeturas apuntaban a que Santi podía padecer fobia a la oscuridad en sitios cerrados. «¿Habéis estado alguna vez en una discoteca?», preguntaste. «Una vez», respondí. «¿Mostró él un comportamiento llamativo?» «¿A qué te refieres?» «Me refiero a si estuvo tenso, apagado, nervioso, o a si te pedía con insistencia que salierais a la calle.» Reconocí que habíamos pasado un par de horas agradables. Fue en la discoteca (te lo cuento ahora que Sonsoles no me oye) cuando nos besamos por primera vez. Bueno, yo lo besé y él se dejó. «En mi opinión», dijiste, «no creo que tu amigo tema a la oscuridad ni a los sitios cerrados. Tampoco a las aglomeraciones, puesto que le gusta asistir a los partidos en el campo de fútbol.» Acepté tu consejo de no someter a Santi a ningún interrogatorio. Gracias a tus palabras de ánimo, otro día reuní valor para manifestarle mi interés por que me presentara a su madre. Me sorprendió que accediera de inmediato. Afirmó, incluso, que su madre se alegraría de conocerme. A su madre, según me confesó, le preocupaba la vida solitaria que él llevaba. La mujer ronda los setenta. Tiene una expresión dulce (ojos lánguidos, sonrisas tristes) impropia de una persona enérgica. Estábamos en un vestíbulo amueblado con sencillez. Le tendí la mano. Ella la apartó con suavidad; estiró el cuello, pues es bajita, y me estampó un beso en cada mejilla. Enseguida propuso que nos tuteáramos. Me pidió en tono afable que la llamara Emili, que es, según dijo, como la conocen sus allegados. «Éste ¿te da mucha guerra?», me preguntó con un fuerte acento vasco. Respondí lo primero que me vino a la boca: «Su hijo es buena persona». «Demasiado.» Y aquella especie de sentencia resignada y melancólica me desconcertó en tal extremo que, durante unos cuantos minutos, no supe qué decir. Ella me cogió del brazo para enseñarme las habitaciones. Santi nos seguía en silencio. En la pared del pasillo colgaba la fotografía enmarcada de un señor con gafas y bigote. Me tentó preguntar por él, pero no me atreví. Pasamos por fin los tres a la sala, donde la mesa ya estaba dispuesta para la cena. Me imaginaba que en cualquier momento la madre se pondría a darle órdenes al hijo (trae esto, lleva lo otro), pero me equivoqué de plano. Cada vez que Santi le ofrecía su ayuda, ella le rogaba que no desatendiese a la invitada. Comprobé con satisfacción que Emili no es propensa a interrumpir a los demás cuando hablan ni a expresarse con ademanes bruscos. No es parlanchina, pero tampoco callada. Pongamos un término medio. Tras el consomé, Santi se empeñó en retirar los platos usados. Su madre cedió. Solas las dos a la mesa, Emili me agarró las manos y me dijo con mucho misterio, refiriéndose a Santi: «Maja, a ver si me lo curas». Yo, de piedra. «Curar ¿de qué?» «Es todo de aquí.» Lo dijo señalándose con un dedo la cabeza. En aquel instante, como sentimos que Santi volvía, cortamos la conversación. Más tarde fue ella la que se dirigió a la cocina en busca de un rape en salsa verde que había preparado a la manera de su tierra. (Aborrezco el pescado, pero aquella noche yo habría comido agujas con tal de resultar agradable.) En el poco rato que Emili estuvo ausente, Santi y yo convinimos en salir a tomar una copa después de la cena, aprovechando que al día siguiente, domingo, no teníamos que madrugar. Le pregunté si le apetecía quedarse por la noche en mi piso. Aceptó sin vacilar. Ya habíamos dormido juntos una vez, sin que ocurriera gran cosa entre nosotros. Aquello me sorprendió bastante. No es habitual que un hombre desaproveche ciertos regalos de alcoba. Por otro lado, yo no estoy hecha de la misma pasta que Sonsoles. Yo prefiero que me tomen a tomar, supongo que me entiendes. Así que aquella vez apagamos la luz, nos dimos unos besitos bajo la manta y no hubo más. Pues, como te iba diciendo, en el momento de despedirnos Santi le comunicó a su madre nuestro plan. «¿Vendrás para la comida?» Fue lo único que ella quiso saber. Santi me pidió con la mirada que respondiera en su lugar; yo, a mi vez, miré a Emili y, no sin un poco de temor a que se enfadase, le dije que hasta el día siguiente me tocaba a mí cuidar a Santi. Emili ni puso mala cara ni hizo preguntas indiscretas como acostumbran las madres protectoras y celosas. Junto a la puerta de la calle me abrazó con ostensible simpatía. En un bar de la zona, Santi y yo intercambiamos impresiones acerca de la velada. «Parece que tu madre me acepta.» «Ya te dije que se iba a alegrar de conocerte.» Del bar nos fuimos en su automóvil a mi piso. Era pronto: las once u once y media. Le sugerí que nos acomodáramos en el sofá y miráramos una cinta de vídeo antes de acostarnos. Así lo hicimos. Yo me tumbé a lo largo, con la cabeza apoyada en su regazo, y, mientras veíamos la película, él me daba friegas con sus dedos largos y cálidos en la cabeza. De puro gusto no me faltaba más que ponerme a ronronear como mi gata. Ya te conté que la sorpresa ocurrió mientras me iba abandonando al sueño, olvidada de la película. Pensándolo fríamente, hoy celebro que el sobresalto se produjera aquella noche, en mi piso, en mi terreno por así decir, y sobre todo cuando nuestra relación amorosa aún no se había definido del todo, pero ya empezaba a cobrar forma. Sirvió, en cualquier caso, para abrirme los ojos al drama que mortificaba al pobre Santi desde hacía largos años. Me sirvió también para comprender que lo que le pasaba a mi chico me afectaba más allá de las lágrimas de compasión. En pocas palabras, aquella noche tomé la firme decisión de bajar a sacarlo del pozo en el que vivía aprisionado. Aquí te va un resumen de lo que sucedió. Yo estaba a punto de dormirme. De pronto noté un temblor en las piernas de Santi. Durante dos o tres segundos sus manos apretaron mi cabeza como si se hubieran acalambrado. Abrí los ojos. Santi gritó: «¡La pistola!». Al punto me acordé del día en que nos vino un atracador a la sucursal y Santi perdió el sentido. En la pantalla se veía a un tipo con cara de pocos amigos que apuntaba con su pistola a alguien que estaba frente a él, fuera de la imagen, en el lugar de la cámara o, si lo prefieres, de los espectadores. Al mismo tiempo que sonó el disparo, Santi se arrojó conmigo al suelo. Al principio no supe qué pensar. Vamos, hasta creí que me agredía. Luego se apresuró a apagar el televisor, permaneció unos instantes quieto, mirando extrañamente hacia la parte alta del tabique, y en esto se marchó del piso sin despedirse. Sentada en el suelo, atónita, lo sentí bajar las escaleras a todo meter. Ni siquiera se tomó la molestia de cerrar la puerta. Al cabo de hora y media me llamó por teléfono desde su casa. La llamada me pilló levantada. Ya te figurarás que después de todo yo no podía dormir. Se notaba a Santi abatido al otro lado de la línea. Me pidió perdón como quien pronuncia sus últimas palabras al pie de la horca. «Perdón, ¿por qué?» Guardó silencio unos segundos. Después se embaló: «Por haberte tirado al suelo. ¡Por Dios, eso no se hace! Me muero de vergüenza, te lo juro. Me avergüenzo de lo raro que soy. Para rematar, resulta que me he convertido en un hombre violento. Ya ves: conmigo no es posible tener alegrías, ni tranquilidad, ni satisfacciones de ninguna clase». Breve pausa. Y luego: «Supongo que te he perdido, ¿no?». Hoy sé que la casualidad o la intuición quisieron que por primera vez la brújula de mis sospechas indicara la dirección correcta. «Amor», le dije, «gracias por haberme salvado.» En su tono de voz se traslucía ahora una mezcla de asombro y alivio: «O sea, ¿que te has dado cuenta?». Mis palabras de gratitud habían obrado en él un efecto balsámico. Me las pagó extremando la docilidad. A todo me respondía que sí. Le hice prometer que se acostaría sin demora, que me abrazaría en sus sueños y que al día siguiente, aunque hubiera perdido las ganas, como aseguraba, iría al campo de fútbol. Acordamos encontrarnos al término del partido. (Corto descanso para pegarme una ducha reparadora. Me arden los dedos de tanto escribir. Por la espalda me bajan goterones de sudor, y eso que estoy medio desnuda. Amiga, enseguida vuelvo.) Sigo. El domingo por la tarde me escondí detrás de un árbol, en una plaza ajardinada que hay frente al edificio donde vivía Santi con su madre hasta poco antes de casarnos. A la hora que yo me figuraba, lo vi salir del portal y alejarse hacia la boca del metro. A Emili no le sorprendió mi llegada. Fuimos al grano. Me pidió, en el tono afable de costumbre, que la acompañara al final del pasillo. Nos detuvimos delante de la fotografía del señor de las gafas y el bigote. «Los líos mentales de Santiago tienen que ver con él.» Al pronto no comprendí. ¿O es que aquel hombre de aspecto sosegado, con su corbata burguesa y su pinta de devoto había usado tanta severidad que, a los veintitantos años de su muerte, continuaba aterrorizando al hijo? Para salir de dudas, le pregunté a Emili qué clase de hombre había sido su marido. Respondió que cariñoso y trabajador como él solo, aunque tirando a serio. «¿Y de qué murió?» «No murió. Lo mataron.» Durante unos instantes me quedé sin habla. Ella, que debió de notar mi turbación, rompió sin inmutarse el silencio que a mí me resultaba tan embarazoso. «Era un cabezota. Nos avisaron que su nombre había aparecido en una lista, pero él se consideraba tan poco importante que rechazó la escolta. ¿Santiago no te ha contado nada de esto?» «Pues hasta ahora, no.» «Una vez quité la fotografía del pasillo porque me lo mandó el psicólogo. Decía que al niño le vendrían recuerdos amargos cada vez que la mirase. No veas qué mal le sentó a Santiago. La tuve que sacar del ropero y volverla a su lugar. Bueno, pues ni siquiera entonces cambiamos una palabra sobre lo que le pasó a su padre.» Yo había estado observando a Emili mientras hablaba. Comprendí que lo que de víspera me había parecido una expresión de bondad y ternura era en realidad la marca de un prolongado sufrimiento. De un sufrimiento vivido a solas. Se me puso un nudo en la garganta cuando dijo: «A mí me queda poca vida, pero Santiago aún tiene un largo trecho por delante. Te pido por Dios que me lo cures. Yo no he podido. Ésa es mi mayor espina». «El psicólogo ¿no lo ayudó?» «Bah, era un señor mayor que me dejaba al niño peor que antes. Aparte de atiborrármelo de Dumirox, no hacía gran cosa por él. A Santiago ni se lo nombres. Le cogió mucha ojeriza.» Tomamos en la cocina una taza de café. Me ofreció bizcocho, pero no quise. Por el peso, ya sabes. Encima de la mesa se veía un periódico, unas gafas y el bolígrafo con el que Emili había estado rellenando el crucigrama. En el borde de la página tracé lo mejor que pude el dibujo de los cinco cuadrados con sus correspondientes redondeles. «Esto ¿qué significa?» Me hizo una seña para que la siguiera. Entramos en la habitación de Santi. Emili me enseñó el interior de varios libros sacados por ella al azar de la estantería. Me enseñó hojas sueltas y cuadernos que abarrotaban los cajones, recortes de prensa con información bursátil apilados sobre el escritorio, el reverso de algunas fotografías: por todas partes se extendía la plaga de dibujos. «En el colegio, los profesores me solían preguntar. Nunca supe responderles. Y el psicólogo, mucho lenguaje y mucho bla bla bla, pero tampoco tenía una idea clara de lo que significan estos garabatos. Nada bueno, supongo.» A punto de despedirme, le pregunté por qué estaba tan segura de que yo podía curar a Santi. «Hija» (fíjate, nos habíamos conocido la tarde anterior y ya me llamaba hija), «no le cuentes a Santiago que me he ido de la lengua, ¿eh? Santiago te quiere. Te quiere mucho y sabe que te necesita. No sé lo que os pasó anoche, pero después que hablarais por teléfono a las tantas le entró una euforia como yo no se la había visto jamás. Me sacó de la cama para convencerme de lo maravillosa que eres. Tú y sólo tú vas a poder mirar dentro del alma rota de mi hijo, donde ni siquiera los ojos de una madre han podido nunca mirar.

Créeme.» Hay que reconocer que Emili no se expresa mal, pero yo, la verdad, no valgo para actriz. Conque por la tarde, después del partido, le pregunté a Santi a la cara, sin romanticismos ni mandangas: «¿Tú te imaginas viviendo conmigo de pareja?». No dudó un segundo en responder. (¿Sería porque el Aleti, como él llama al equipo de sus amores, le había metido unos cuantos goles al Mallorca?) «¡Sueño con ello todas las noches!» Pensé que bromeaba. Tanta efusión me resultaba rara en él. Pero luego repitió aquellas palabras, más serio, yendo por la calle, y quedé convencida. En el metro le pedí que las dijera otra vez, por el gusto que me producía escucharlas. Me complació. Entonces lo besé en la boca y le declaré, mirándole de cerca a los ojos, que en mi opinión teníamos la meta al alcance de la mano, pero que aún se interponían en el trayecto obstáculos que convenía eliminar. «Ya lo sé», afirmó, y esa tarde ya no volvimos a tocar el tema. Tampoco es que hiciera falta. Lo principal estaba conseguido. Acabábamos de ponernos de acuerdo en un objetivo importante para el futuro de nuestra relación. Desde los nueve años, la vida interior de Santi había sido un laberinto de galerías tortuosas en el que nadie, antes de mí, se había adentrado. Bien es verdad que hasta la fecha yo había caminado a ciegas por algunas de esas galerías que daban vueltas alrededor de un secreto doloroso. La situación había cambiado sensiblemente tras el sobresalto de la noche pasada. Ahora me era posible distinguir un punto de claridad al fondo. Crecía, además, en mí la certeza de que Emili no andaba descaminada en sus predicciones. Yo sabía (y tú me lo confirmaste la siguiente vez que nos vimos) que si lograba llegar hasta el final del laberinto haría de Santi un hombre nuevo. No olvidaré lo que me dijiste: «Él te ha dejado las

129

puertas abiertas. Por algo será. Curar, lo que se dice curar, tal vez esté fuera de tus posibilidades. De ti depende, sin embargo, que su herida cicatrice y que el dolor se le haga, por lo menos, soportable. Tan soportable como para que no le impida llevar al lado de la persona a quien ama lo que solemos llamar una vida normal». Esa misma semana, curioseando en Internet, encontré en varios sitios la noticia sobre el atentado. En todos los casos la información se reducía a listas de personas asesinadas por ETA a las que apenas se les dedicaba dos o tres renglones. Quizá no supe buscar bien. Al padre de Santi lo habían tiroteado a quemarropa en una calle céntrica de San Sebastián. Murió en el acto. Del asesinato había sido inculpado un terrorista que en la actualidad cumple condena en la cárcel del Puerto de Santa María. Emili estaba al corriente de todos esos pormenores. Ella misma me los había adelantado el domingo que fui a verla a escondidas de Santi. Faltaba, no obstante, el dato esencial, el que ella (por razones que ignoro y que nunca intentaré averiguar para no afligirla) me ocultó. Lo descubrí por mi cuenta a los pocos días en la Hemeroteca Municipal. El padre de Santi no estaba solo en el instante del atentado. Los dos periódicos que consulté eran explícitos al respecto. «La víctima paseaba con su hijo menor de edad por las inmediaciones del Teatro Victoria Eugenia, al que se dirigían. El niño presenció a corta distancia cómo su padre era asesinado a sangre fría por un pistolero de la organización.» Mantuve los ojos cerrados por espacio de un minuto mientras intentaba imaginarme la escena de los disparos desde la perspectiva de Santi. Yo nunca había estado en San Sebastián. No podía, en consecuencia, hacerme una idea del lugar del crimen. De pronto acudió a mi pensamiento el tipo aquel mal encarado, el que nos pegó un tiro la noche del sábado al domingo desde la pantalla del televisor. Dentro de mi cabeza resonó el grito de Santi: «¡La pistola!». Y en ese preciso instante supe con total seguridad que acababa de meterme en el centro del laberinto. ¿Qué hago ahora?, pensé. En la misma calle Conde Duque, a la salida de la hemeroteca, paré un taxi. Un cuarto de hora más tarde, ¿te acuerdas?, me presenté en tu casa sin avisar. Me abrió tu marido, tan elegante con su delantal de rayas. (Este detalle, si no te vale, lo borras, ¡pero como insististe en que me explayase a mi antojo!) Aquella tarde te referiste a varios casos similares al de Santi que habías conocido de cerca. Después de todo lo que yo te había contado, el diagnóstico te parecía claro. Me preguntaste si Santi accedería a someterse a una terapia. «Estoy segura», te dije, «de que no. Ha tenido malas experiencias.» Tu réplica me dejó pasmada (hasta creí, por un momento, que querías tomarme el pelo): «No importa. Lo vamos a hacer de todos modos, sin que él se entere, al menos al principio. Ah, y sin psicofármacos ni visitas a un consultorio. Ya verás». Esa semana, en el restaurante chino, cumplí a rajatabla tus instrucciones. No creas que fue fácil. De milagro no me escondí en los servicios para pedirte consejo desde el móvil. Sentía terror pensando en el riesgo que corría de crearle a Santi nuevos padecimientos. Pero hubo suerte: reaccionó tranquilo. «A mi madre y a mí, aquella salvajada nos rompió la vida. No la guardo en secreto. Lo que pasa es que ya te he causado muchos problemas con mi manera de ser. Me daba miedo que te asustaras y acabases largándote como se me han largado otras mujeres al poco de conocerlas. Piensa, sin ir más lejos, en Sonsoles.» Me acordé de tu advertencia: «Primero las cosas claras; después, si quieres, la compasión». Fingiendo aplomo, le pedí al camarero una hoja de papel y un bolígrafo. No sabía cómo disimular el temblor de la mano. Yo pensaba: Santi no lo va a aguantar, esto está por encima de sus fuerzas, aquí se me hunde el pobrecillo. Me acordé de aquellas palabras de ánimo que me habías dicho por teléfono apenas unas horas antes: «Si te quiere, se dejará ayudar aunque le duela». Te respondí que su madre opinaba más o menos lo mismo. Y tú: «Es que a tu novio no le queda otro remedio. Hay que conseguir a toda costa que el miedo a perderte actúe como contrapeso de los otros miedos que lo mortifican. Me objetarás que te estoy proponiendo apagar el fuego con más fuego. Pierde cuidado. Con frecuencia, un tratamiento en apariencia absurdo es el que ofrece mejores resultados». Aquel pensamiento me dio valor. El dibujo quedó algo torcido, con unos redondeles que parecían huevos, pero así y todo Santi lo reconoció enseguida. Me miró desconcertado, bebió con calma un sorbo y dijo: «Llevo desde que era niño garabateando estas figuras y no sé por qué. Bueno, sí lo sé. Me parece que siento una especie de alivio cuando las veo. O sea, que en determinados momentos, si no las tengo delante, me entra como una desazón, me pongo nervioso, me parece que algo malo va a ocurrir; en una palabra, no estoy a gusto. Es difícil de explicar. Las hago, pero lo mismo no las hago, ¡qué se yo!». Seguí tu recomendación de no acosarlo a preguntas. La cosa estaba hablada. Punto. Cambiamos de conversación y yo dejé que transcurrieran unos treinta minutos de cháchara trivial antes de anunciarle que el siguiente fin de semana no podíamos citarnos porque yo tenía previsto salir de viaje con una amiga. Santi no es tonto. «Vas allí, ¿verdad?» «¿Te importa que vaya?» «¿Te acompaña Sonsoles?» «No.» «Mejor.» Entrada la noche, tras el beso de despedida, le pregunté si quería que le trajese algo de San Sebastián. «Tráeme a mi padre.» A través de las lágrimas lo vi alejarse calle abajo con las manos en los bolsillos. (Las seis de la tarde. El sol se ha corrido hacia la parte trasera del apartamento y más de media terraza queda ahora en sombra. Conque me voy a sentar otra vez fuera. Antes, eso sí, una pausa corta para merendar.) Si la miopía no me engaña, diría que se han formado unos nubarrones a lo lejos, donde se juntan el cielo y el mar. ¿Tormenta? Esperemos que si hay tronada no le pille a Santi por el camino. Bueno, amiga, aquí te va el último tramo del informe o la crónica o lo que sea. Puesto que mi primer viaje a San Sebastián lo hicimos juntas, evitaré extenderme en detalles que conoces de sobra. Descontando el incordio de la lluvia, la ciudad me causó una impresión favorable. Tal vez demasiado cara para mi gusto. ¿Te acuerdas de los precios que vimos en algunos escaparates? Pero, en fin, vayamos a lo esencial. Y lo esencial es que con ayuda del plano encontramos enseguida el Teatro Victoria Eugenia, al lado de un río. Guardo el recuerdo de un bello edificio de piedra con balcones, con ventanas de forma, tamaño y ornamentos distintos según su colocación en la fachada, y con dos torres en un costado de la azotea, cercada ésta por una barandilla de balaustres con sus pináculos de trecho en trecho. (¿Se me nota que estudié un año de Arquitectura?) Delante de la entrada principal, protegida por una marquesina, hicimos un descubrimiento inesperado. Recordarás que en el folleto turístico que nos dio la recepcionista del hotel habíamos leído que el Victoria Eugenia sirve cada año de sede al Festival Internacional de Cine de San Sebastián y que a menudo se celebran conciertos en su interior. Con ese convencimiento nos pusimos en camino las dos aquel sábado lluvioso, seguras de que con ayuda de la fotografía del folleto reconoceríamos el edificio nada más verlo, como así ocurrió. Lo que no sabíamos es que durante largos años el Victoria Eugenia había funcionado como sala de proyección de películas. Un guardia municipal nos lo contó: «Pues aquí dentro, señoras, ha habido cine toda la vida. Vamos, yo de niño ya venía. Ahora está cerrado. Me parece que quieren hacer reformas. No se preocupen. Si quieren ir al cine hay uno yendo por ahí». Permanecimos algunos minutos debajo de la marquesina. No paraba de jarrear. Enfrente, entre dos calzadas paralelas, se alargaba un pequeño jardín con estanque y varios surtidores. Yo miraba a izquierda y derecha como esperando que de un momento a otro apareciese mi novio convertido en niño, con su padre de la mano. «Supongo», te dije, «que los dos vendrían por esta acera. Vendrían de la parte del río o de aquellas casas, o quizá, quién sabe, atravesaron el jardín por ese puente de en medio.» Respondiste que desde el punto de vista del funcionamiento de la mente, Santi continuaba atrapado en aquel lugar. Y acto seguido: «El miedo que siente cuando ve una pistola, su resistencia a entrar en los cines, su disfunción sexual, incluso los cuadrados y círculos que pinta de manera obsesiva, todo eso proviene de la conciencia dolorosa del asesinato de su padre cerca de aquí. La pregunta que se nos plantea es, pues, ¿cómo podrías tú ayudarle a abandonar este sitio? O si lo prefieres: ¿cómo podrías sacar este sitio de los pensamientos de Santi? El método no entraña misterio, pero presenta una dificultad: es necesaria la colaboración activa del paciente. Debes ingeniártelas para traer aquí a tu novio con el fin de que reexperimente el suceso ocurrido y lo haga, además, a tu lado. Si comparte su experiencia dolorosa de la niñez con el ser amado, verbalizándola desde la perspectiva del hombre que es hoy, tiene posibilidades de superar el trauma». Yo estaba decidida a dar aquel paso. Por Santi sobre todo, pero también por mí. Por mí y por nuestro futuro. Tus explicaciones, tus consejos y tus palabras de aliento reforzaron mi confianza en llevar a buen término el plan. Al día siguiente de nuestro regreso, conseguí reunirme a solas con Emili en su casa. No me parecía bien empezar el experimento sin su aprobación. Se conmovió. En otras circunstancias acaso me hubiese contagiado de sus lágrimas. Tienes que ser fuerte, me dije. Y aguanté. La pobre mujer no podía ni hablar. Cuando por fin se le hubo pasado la llorera, me arreó unas palmaditas cariñosas en el dorso de la mano. «Estará al llegar», me dijo. «Muy bien, lo esperaremos aquí sentadas.» Santi se quedó de piedra al vernos. «¿Algún problema?», preguntó receloso. Buscaba yo la forma menos patética de abordar el asunto cuando, desde el otro lado de la mesa, Emili se me adelantó. En un amén le expuso a Santi mi propósito. Santi se disculpó; le urgía ir al baño. Tardó lo menos diez minutos en volver. «¿Las dos queréis que vaya?» Emili y yo nos escrutamos antes de hacer el mismo gesto afirmativo. Santi, que seguía parado en el pasillo, resopló con aire de resignación. «No garantizo que el viaje solucione nada, pero lo intentaré.» Durante la semana se mostró irritable por demás. En la sucursal, fíjate, despachó de su lado a un compañero que había ido a pedirle ayuda. «Joder, ¿no ves que estoy ocupado?» Yo lo miraba de refilón y a menudo lo sorprendía secándose la frente con un pañuelo. En el chino se pasó la cena entera quejándose. Del arroz «amazacotado», de los rollitos de primavera «pringosos», del camarero «más lento que una tortuga sin patas». Estaba lleno de ansia, de impaciencia;

estaba, ¿cómo te diría yo?, igual que si llevara un revuelo de avispas dentro del cuerpo. Murmuraba, repiqueteaba con las yemas de los dedos sobre el mantel, se le caían las cosas al suelo. «Me habéis embarcado en una buena tú y mi madre. Ya casi no pego ojo por las noches.» Le hablé por extenso de ti y de cómo me habías asesorado. Le pregunté si quería conocerte. «¡Ni en pintura! Ah, y nada de pastillas, ¿eh? Caeré en las trampas que quieras, pero en ésa nunca más.» Se puso de nuevo a rezongar. Intervine: «¿Decías algo?». Tuvo una salida sarcástica: «¿Me llevarás galletas al manicomio?». Encargué idéntica combinación de billetes que el sábado anterior. Nos alojamos en el mismo hotel, aunque, para dar gusto al señor, solicité una de las habitaciones con balcón hacia la bahía, bastante más cara que la que ocupamos tú y yo. Me asomé a respirar el aire del mar. El tiempo estaba nublado, pero sin pinta de llover. Incluso se veían claros sobre el horizonte. No hubo manera de convencer a Santi para que se acercara a contemplar el panorama. «Después de tantos años de ausencia», le dije, «¿no te apetece salir a saludar a tus paisanos desde el balcón?» Andaba el hombre sin ganas de cuchufletas. Se había sentado a un velador adosado a la pared y no paraba de rayar sobre el cristal, con las uñas, sus dibujos de costumbre. Seguía sin soltarse los zapatos y sin quitarse la gabardina. Yo saqué mis cosas de la maleta y las coloqué en el armario; él no tocó las suyas. Le propuse bajar a comer a la cafetería del hotel. Que no tenía hambre. Transcurridas dos horas (no te exagero), aún no se había levantado de la silla. Yo empezaba a desesperarme. Por conservar la calma repetía entre mí tu advertencia: nada de enfados ni de discusiones. O aquello otro de que a él le correspondía la última decisión. La tarde avanzaba. Le dije: «Santi, tú verás, pero sólo tenemos lo que queda de hoy y la mañana del domingo». Continuó callado, sin levantar la vista del suelo. Con la excusa de que necesitaba tomar alguna bebida caliente, bajé a la cafetería. Fue entonces cuando te llamé a Madrid desde el móvil. «No hay nada que hacer.» Y tú: «No deberías dejarlo solo. Si no quiere someterse a la prueba, no insistas. Os volvéis a casa en buena avenencia y ya estudiaremos el modo de intentarlo en otra ocasión». Regresé, ¿qué quieres que te diga?, bastante desanimada a la habitación. Al abrir la puerta, Santi vino corriendo a mi encuentro. «En marcha», dijo. Se movía por las calles de San Sebastián con el instinto seguro de quien las conoce de memoria; yo, detrás, daba saltitos para no rezagarme. Hicimos el recorrido hasta el Victoria Eugenia en bastante menos tiempo que tú y yo el sábado anterior. «¿No vamos a la entrada principal?», le pregunté. «¿Para qué? A mi padre lo mataron en la parte de atrás.» Nos desviamos hacia una plaza en cuyo centro se alza un pedestal coronado por una estatua negra. Nada más pasar de largo el monumento, como a diez metros de la carretera que bordea el río, Santi se detuvo. «Aquí.» A un lado estaba el famoso hotel María Cristina; al otro, con las persianas bajadas, un café-restaurante que hace esquina en la trasera del Teatro Victoria Eugenia. De acuerdo con tus intrucciones, le cogí las manos. Se las noté húmedas y frías. Antes que hubiese pronunciado una palabra, le di un beso largo en la boca. «Te escucho, corazón.» Miró unos instantes el suelo a su alrededor, como si buscara un objeto extraviado, y al fin, sin mover un músculo de la cara, empezó a contar más o menos de este modo: «Faltaría cosa de veinte minutos para el comienzo de la película. Ya habíamos sacado las entradas. Y es que vivíamos en las afueras y siempre era un lío encontrar aparcamiento. Cuando íbamos al cine, salíamos de casa con bastante adelanto para no tener después que apresurarnos. A mí, como tantas otras veces, me entró capricho de beber horchata. Yo es que sin mi horchata no iba a ninguna parte. Por esa razón veníamos los dos andando de aquel puente, pues al otro lado del río había, ahora no lo sé, una tienda de helados donde servían horchata. Te la sacaban con un cazo de unos cántaros de metal. Me gustaba mucho. Blanca, fresca, dulce: una delicia que desde entonces no he vuelto a probar. Mi padre no me negaba nada, conque allá fuimos. A la vuelta vi que de un jardín que hay detrás de este hotel salieron dos individuos. En esos momentos, un niño de nueve años ¿qué va a pensar? Imagino que los asesinos tendrían el portal de nuestra vivienda vigilado. Ellos o sus cómplices. Apenas hora y media antes habíamos decidido ir al cine. Y el caso es que mi madre estuvo a punto de acompañarnos. Imagínate, me podía haber quedado huérfano del todo». Hablaba con entereza, con voz firme aunque apagada. Yo, mientras tanto, no paraba de acariciarle las manos conforme lo había practicado contigo durante la semana. Tampoco olvidé confirmarle de vez en cuando por medio de monosílabos que lo escuchaba con atención. «Mi padre no se percató de que nos seguían. Me estaba explicando algo sobre los peces del río y sobre una caña de pescar que le habían regalado de joven. Cruzamos la carretera, y al llegar a este lugar un ruido a la espalda golpeó mi atención. No te sabría decir si fue un carraspeo, una tos o una palabrota. Lo único que sé de cierto es que me volví. Uno de los dos individuos nos había dado alcance. Tenía una pistola en la mano. A mi padre le faltó tiempo para volverse. Ya con el primer disparo se desplomó.» En aquel momento vi que a Santi se le empañaban los ojos. Una lágrima resbaló por el costado de su nariz, dejando a su paso un reguero brillante. Ni siquiera entonces se le quebró la voz. «¿Qué hiciste mientras tu padre recibía los disparos?» Al preguntárselo me mordí el labio para no dejarme arrastrar por la emoción. «Puf, ver a mi padre caído fue un golpe duro para mí. Cuando, además, me di cuenta de que echaba sangre ya no lo pude aguantar y clavé la mirada ahí enfrente, en la pared del Victoria Eugenia. Esperaba que el tipo de la pistola se marchase para que mi padre se pudiera levantar. Fíjate lo que son las cosas, me preocupaba que nos perdiéramos el comienzo de la película.» Enfrascado en el recuerdo, Santi había repetido de manera maquinal el gesto de aquel lejano día; yo lo imité. Entonces los descubrí. Eran cinco relieves con forma de círculo que componían una moldura en lo alto de la fachada. Los círculos se alineaban en sentido horizontal entre dos impostas, la inferior más saliente, y estaban separados unos de otros por pequeñas columnas embebidas. De este modo, cada uno resaltaba dentro de un cuadrado. «Santi, allá arriba tienes el modelo de tus dibujos.» No lo veía aunque miraba en la dirección adecuada. «¿Dónde?» No hubo más remedio que señalárselo con el dedo. «¡Anda, pues es verdad! Ahora me acuerdo. No aparté los ojos de aquel detalle hasta que vino un señor a sacarme en brazos de la plaza.» Colgada literalmente de su cuello, junté mi boca con la suya. Entre beso y beso le declaré el grandísimo amor que siento por él. Y mientras yo me apretaba con todas mis fuerzas contra su pecho, dediqué los más vivos elogios a su valentía. «Estoy orgullosa de ti», le dije mirándolo dentro de los ojos. Le dije cosas que en mi vida he dicho a nadie. Y antes que él pudiera responder, me apresuraba a taparle la boca con más besos. No sé qué pensaría la gente. Que yo era una hembra salida o algo así. Me daba igual. Agarrado de la mano, saqué a mi chico de aquella plaza. Lo saqué. Había que sacarlo. ¡Cuánta razón tenías! Decidimos dar un paseo por el borde del mar mientras hacíamos tiempo para la cena. Ya de camino, llegamos por casualidad a la entrada de un multicine. Santi se paró a echar un vistazo a la cartelera. Me miró. Lo miré. Entramos. Durante la película me susurró al oído: «¡Qué listas sois tú y la psicóloga! Cada vez que trato de imaginarme el sitio donde mataron a mi padre, te entrometes en la escena besándome como antes, que parecía que querías arrancarme la cara a mordiscos. Ése era el truco, ¿no?». «Nada de trucos», le repliqué, «amor del bueno.» Y más no pudimos hablar porque nos chistaron por detrás para que nos calláramos. A la salida, camino de un restaurante, Santi dijo: «No creas que me he sentido bien ahí dentro. Dudo mucho que llegue a tomarle afición al cine». En fin, amiga, aquí me paro. Te ruego que seas indulgente con las muchas faltas que habré cometido a lo largo de este informe. Te lo mando sin demora. Después saldré a recibir al turista. Cruzo los dedos para que no se retrase. Tenemos las nubes encima y me da que de un momento a otro empezará a tronar.

Enemigo del pueblo

Se abrió un poco la puerta; lo justo para que, cerca de la abertura, una ráfaga de domingo lluvioso removiese la humareda azulada. Era por la tarde, entre las tres y las cuatro. Zubillaga asomó aquella expresión de animal acorralado que no se le borraba de la cara desde hacía doce días. Sólo introdujo la cabeza. El resto de su delgado cuerpo permaneció a la intemperie. Sin dirigirse a ninguna persona determinada, se soltó a despotricar.

Dentro de la taberna, los quince o veinte parroquianos de costumbre, el cura entre ellos, se repartían en torno a las mesas, cada una con su tapete salpicado de quemaduras negras y su rueda de jugadores. Nada más reconocer al que vociferaba, volvieron con calma los ojos a los naipes. Las copas, los puros y los cigarrillos iban despacio a las bocas. Se sucedían las bazas, se contaban los tantos, mientras Zubillaga desfogaba con voz de pito su amargura desde el umbral. Ninguno de los presentes parecía más impresionado que si estuviera oyendo los ladridos distantes de un cachorro. La pronunciación de Zubillaga era además deficiente, a causa tal vez de la exaltación que lo embargaba. Las malas condiciones acústicas del local reducían la chorretada de sus gritos a un guau-guau confuso y estridente. Habría hecho falta colocarse a su lado para entender lo que decía, si es que algo decía.

Corpulento, flemático, el tabernero secaba cucharillas detrás del mostrador. Las cejas del eclesiástico se arquearon impacientes en el costado de una mesa pidiéndole que atajara el incordio. El tabernero se apresuró a mandar a Zubillaga que se marchase. Zubillaga, la mirada grande, el gesto alelado, se calló. ¿Era eso todo lo que deseaba, la simple certeza de que aquellos hombres no habían tenido más remedio que escucharlo durante algo más de medio minuto? Ya nunca se sabrá.

Cerró la puerta con cuidado, como temeroso de que el rechino de los goznes irritase a quienes acababan de recibir su descarga de improperios. Desde el interior lo vieron parado al otro lado de la puerta en actitud pensativa, con la cabeza gacha. Estuvo así varios segundos antes que su figura enteca se esfumara para siempre del vidrio esmerilado.

Unos chavales fueron los últimos que lo vieron. Se habían refugiado de la lluvia dentro de la cabina de un camión roñoso, abandonado junto a la tapia de una chatarrería. Por los huecos de las ventanillas sin cristales siguieron los pasos tambaleantes de Zubillaga. Cundió en la pandilla la sospecha de que iba borracho. Esperaron a que alcanzara el final de la cuesta para mofarse de él a coro. Uno de ellos salió del camión a tirarle piedras que se quedaron a medio camino.

Subido al pretil, Zubillaga les dedicó un corte de mangas. Después se dio la vuelta y se arrojó al vacío. Los chavales echaron a correr hacia el puente haciendo gestos de alborozo. Llegaron a tiempo de ver a Zubillaga tendido en el asfalto, con un brazo extrañamente doblado sobre la espalda. Un círculo de personas alarmadas rodeaba el cuerpo inerte. El conductor de una furgoneta parada en medio de la carretera lo tapó con una manta de cuadros. La manta, demasiado corta, dejaba los dos pies al aire, sin zapatos. Uno de los calcetines tenía un agujero.

No había parado de llover desde la víspera. Los nubarrones ocultaron los últimos claros a media mañana del sábado. Más o menos por entonces Zubillaga salió del portal de su casa con una silla de cocina, una bandera vasca arrollada al brazo y un fajo de unas doscientas hojas sueltas de bloc, cuadriculadas. Todo el que quiso pudo leer en ellas, redactado a mano con letras mayúsculas, que él no había hecho aquello que decían.

El viento del noroeste, que ya soplaba con fuerza desde el amanecer, arrancaba las hojas de los sitios donde él las ponía. Casi todas acabaron esparcidas por las aceras. La gente las esquivaba como si fueran excrementos. Delante de la tienda de chucherías, la curiosidad de una niña de seis o siete años, que se agachó a recoger uno de aquellos papeles volanderos, fue castigada por su madre con un rápido paraguazo en el dorso de la mano. Durante el reparto ningún viandante enfrentó la mirada de Zubillaga. A su paso, una tras otra las caras se volvían hacia el lado contrario; las bocas, de repente severas, le negaban el saludo. Junto a la puerta de la taberna se alzó una escoba amenazante. El tabernero dijo que no quería propaganda. Zubillaga, visiblemente acobardado, bajó a la calzada y unos pasos más allá volvió a la acera.

Al fin del reparto, se encaminó a la plaza de la iglesia, en cuyo centro colocó la silla. Desde la penumbra de los soportales lo vieron sentarse, primero de espaldas a la iglesia, enseguida de frente; él sabría por qué. Sobre sus hombros colgaba la bandera a modo de capa. Silencioso y en una postura como de condenado a la vergüenza, se expuso a las miradas de la gente. Ya corría por todo el pueblo el rumor de su chaladura.

Al cabo de un rato llegaron cinco niños de corta edad con un balón. Se paró el que iba delante no bien hubo reconocido al hombre sentado en la silla. Se pararon los otros tras él, formando un pequeño grupo de asombro. Luego de un intercambio de cuchicheos, optaron por improvisar una portería de fútbol a cierta distancia. Hechos los equipos, comenzó el partido: dos contra dos y el portero contra todos, atento, entre dos marcas de tiza trazadas en el suelo, a los botes del balón y a las idas y venidas de sus compañeros. De vez en cuando el balón salía despedido hacia Zubillaga. Fuera por evitar discordias o porque los niños, perdido cualquier asomo de temor, se regocijaban tirando a dar, el caso es que Zubillaga se trasladó a un rellano de las escalinatas que conducen al pórtico de la iglesia.

El aguacero que se desató a continuación ahuyentó a los niños. En la plaza sólo quedó el murmullo del agua que se rompía contra los adoquines. El viento metía ráfagas de lluvia dentro de los soportales. A mediodía el cielo estaba tan encapotado que los tenderos tuvieron que encender las lámparas de sus comercios. Para entonces, Zubillaga había vuelto con su silla de cocina y su bandera al lugar inicial. Ya no se movió de allí hasta la noche. En el transcurso de aquellas largas horas, tres personas sueltas se le acercaron con distintas intenciones. Una señora que iba a misa fue la primera. Faltaba poco para las seis. Desde el campanario se desperdigaba un repique chillón; traído y llevado por el viento, tan pronto subía de intensidad como se perdía en débiles tintineos sobre los tejados, en dirección al monte.

146

Nada más entrar en la plaza, la señora se apartó de sus acompañantes, que prosiguieron su camino al amparo de los soportales. La quisieron disuadir, pero ella no hizo caso. Enderezó a través del aguacero, altiva la barbilla, enfadados los tacones. Llevaba el paraguas cerrado por la precaución de que no se lo desbaratase el viento, y más que llevarlo lo empuñaba como si fuera un garrote. Se paró a cinco metros por detrás de Zubillaga. Éste aguantó los insultos sin volverse.

La señora subió al pórtico. La rodearon ocho o nueve bisbiseando la misma pregunta. Resumió: Es un payaso. Al decirlo se volvieron algunos a mirar por entre los barrotes de la verja a Zubillaga, cabizbajo en su silla, tan quieto que parecía dormido en el centro de un charco que no cesaba de crecer a su alrededor. Que qué le había dicho. Aún le salían a la señora las erres arrastradas por la rabia. Que qué le iba a decir, pues. Que estaba deshonrando la ikurriña. Que ya iba ella a mandar a alguno a que *se la quitaría*. Que el pueblo no perdona. Que era un sinvergüenza, un traidor y que de vasco, nada. Bien dicho, la secundaron. Y después se metieron todos en la iglesia a cumplir con el precepto.

El siguiente que se acercó aquella tarde a Zubillaga fue el menor de sus hijos. Al muchacho, bozo y acné, lo abordaron de atardecida, cuando llegaba al portal de su casa, dos chicarrones de la edad de su hermano, allá por los veintitantos. Al punto los conoció. El uno había vivido de niño en el edificio frontero del suyo; el otro era de un caserío de al lado de la fábrica de leche. Este último, con barba de cacto, había salido a principios de año de la cárcel. Haría cosa de un mes que había recibido su bienvenida y homenaje en el balcón del ayuntamiento.

Volvía el muchacho, pasadas las ocho de la tarde, de una clase de inglés en la academia de idiomas, con su carpeta bajo el brazo, su paraguas y sus cejas tristes; lo rodearon y ven con nosotros. No hubo necesidad de señalarle el camino. Ya su madre le había suplicado a primera hora de la tarde que no pasara por la plaza de la iglesia. Chico obediente, se había llegado a la academia dando un rodeo. Ahora lo flanqueaban los dos jóvenes fornidos por la calle abajo. En esto, uno de ellos le preguntó si no se avergonzaba de tener un padre como el suyo. El muchacho caminaba con la vista baja y el paraguas cerrado a pesar del chaparrón. Se encogió de hombros; pero como el otro insistiese, respondió que sí. Que sí qué. Que sí se avergonzaba.

Le dijeron detrás de una columna de los soportales lo que tenía que hacer. El hijo de Zubillaga asintió amilanado. Había una pintada con tinta roja en la piedra: ETA MÁTALOS. Él la miraba y los otros, se conoce que como premio a su docilidad, se pusieron a hablarle en euskera. Si quería que le guardaran mientras tanto la carpeta y el paraguas. Bueno.

Allá fue, solo bajo la lluvia, con pasos vivos de recadista. Dirigió la palabra a su padre sin acercarse del todo a su lado y su padre no se volvió. Estuvieron así un buen rato. Algo se dirían, el padre en la silla y el hijo a su espalda, distantes varios metros el uno del otro. Luego el muchacho le tomó la bandera y ni siquiera entonces su padre cambió de postura.

Les llevó el hijo de Zubillaga a los chicarrones la bandera empapada. Ellos le devolvieron sus pertenencias. Doblaba el de la barba de cacto con cuidado el paño patrio y el muchacho no podía apartar los ojos de aquellas manos gruesas de dorsos pilosos. Advirtió que los chicarrones se miraban entre sí y que no le hacían caso, y, susurrando un tímido agur, se marchó a su casa con las cejas tristes.

Aún estuvo Zubillaga sentado en la plaza de la iglesia más de una hora. Ya había oscurecido y apenas andaba gente por la calle cuando recibió la tercera visita, precedida de una esgrima de cuchicheos en una zona poco iluminada de los soportales. Que sí, que no. Había desacuerdo en el matrimonio sobre el empeño del marido de mostrarle un gesto de solidaridad al pobre hombre. De pobre, nada, según la mujer. Que algo habría de verdad en lo que de él se decía para que lo despreciase todo el pueblo. Que si *sería* vasco no tendría necesidad de probarlo y menos de aquella manera que debía de ser el bochorno de su familia.

Era un matrimonio mayor, los dos flacos, los dos pequeños. Llevaba él un jersey azul marino sobre los hombros; ella, un bastón cuya contera de metal producía un ruido sordo contra las losas. Iban agarrados del brazo, pero con el acaloro de la disputa se soltaron. El marido aducía por lo bajo que, cuando en el 37 cayó prisionero en la muga de Santander, a punto estuvo de acabar delante del paredón, tú bien lo sabes. Entonces habló en su favor una persona que no se quiso dar a conocer, a lo mejor por ser alguno del pueblo que se había pasado al otro bando. Total, que en lugar de fusilarlo como a tantos gudaris de su quinta lo destinaron a un batallón de trabajadores. Salí vivo y me pude casar contigo, no lo olvides. ¿A qué vienen esas historias? Mujer, imagina que fue un pariente suyo el que me salvó. Pues si vas yo no te hago la cena, ¿qué dirán los vecinos? Voy y vengo, es un minuto. Entonces que te haga la cena ése. Pues no ceno, ahí va Dios.

Se adentró en la lluvia, pero a los pocos pasos parece que le flaqueó la voluntad. Entonces buscó a la mujer con la mirada. La mujer le puso mala cara. Con un meneo furioso de bastón le mandó volver. Durante un instante el marido vaciló. Ella le susurró en tono de reniego que iba a pillar una pulmonía. Recuerda lo del 37, replicó él con apenas un hilo de voz, temeroso tal vez de que sus palabras pudieran llegar a oídos extraños. Acto seguido, moviendo los labios al modo de quien conversa a solas, se encaminó resueltamente hacia Zubillaga. La mujer lo esperó escondida detrás de una columna. Él no tardó en volver. A mí el pobre hombre me da pena. Le prohibió ella que le contara lo que habían hablado, ya que por nada del mundo lo quería saber, y como se te escape una palabra te acuerdas. El marido dulcificó los gestos y las palabras para reconciliarse con ella, pero ya vio que no estaba el horno para bollos, así que malquistados y en silencio salieron los dos de la plaza.

Hacía varios días que la mujer de Zubillaga no bajaba a la calle. De pura vergüenza ni siquiera se atrevía a asomarse a la ventana, mucho menos a salir al balcón. Y desde que el martes por la noche se estrellaron contra los vidrios de la sala cinco o seis bolsas de plástico con pintura roja y amarilla, ventilaba los cuartos con las persianas bajadas.

Un pariente afincado en el pueblo aconsejó por teléfono a la mujer de Zubillaga que permaneciese recluida en casa hasta tanto se hubiese aclarado lo de su marido. Pero si sales y nos vemos, haz el favor de no saludarme. Si me tienes que decir algo me llamas. Por la calle ni se te ocurra, compréndelo.

De hacer la compra se encargaba ahora la hija; de regar las macetas, primero la hija y después la lluvia. La hija tenía diecinueve años y un novio empleado en la fábrica de leche que decía estar muy atareado últimamente y que por eso no podía quedar con ella. La muchacha sacó a media tarde del jueves, por el borde inferior de la persiana, la mano con la regadera y al momento le silbaron desde la calle una parodia del himno nacional de España. Ya no quiso regar más.

De un simple vistazo podía reconocer las cartas de amenaza. Allí mismo, en el portal, las rompía sin abrirlas, junto con las notas insultantes que por el mismo conducto recibía su padre a diario. Ella tiraba los cachos de papel a las papeleras de la calle, diseminándolos de modo que nadie los pudiera reunir, y a casa subía sólo las facturas y los sobres con remitente conocido.

El miércoles por la mañana encontró dentro del buzón un pájaro muerto. El animal no presentaba señales de violencia. Los ojos cerrados le comunicaban un aire de serenidad, como si hubiera tenido una muerte plácida. Las plumas sucias y desordenadas inducían a pensar que había permanecido largo tiempo tirado en un suelo polvoriento antes que alguien lo hubiera recogido para ofender o asustar a Zubillaga. La muchacha lo sacó agarrándolo con una hoja de papel en la que una mano anónima había formado unas cuantas frases injuriosas con letras recortadas del periódico. Después de tirar el pájaro a la papelera más cercana, enderezó sus pasos hacia una carnicería que había al final de la calle. Llevaba una bolsa de malla y una lista con todo lo que su madre le había pedido que comprase.

Cubría la entrada del establecimiento una cortina de colgantes destinada a impedir el paso de los insectos. Desde la acera se oía un murmullo de voces risueñas procedente del interior. En el momento en que la hija de Zubillaga estiró la mano para apartar la cortina, la carnicera soltó una de sus carcajadas inconfundibles, carcajada de mujer ancha, alta, provista de un papo poderoso. Nada más darse cuenta de quién llegaba, las cuatro mujeres que en aquel instante se encontraban en la carnicería enmudecieron. La muchacha saludó sin inmutarse. No hubo respuesta.

Un silencio tenso quedó flotando en el aire donde hasta poco antes había habido un revuelo de risas y voces de señoras que hablaban todas al mismo tiempo. La que tenía la vez hizo sus pedidos en tono cortante. La dueña partió con entrecejo fruncido varios trozos de una caña de vaca que reposaba sobre la tabla de cortar. Había una rotundidad de enfado en los hachazos. La hija de Zubillaga esperó su turno junto a un extremo del mostrador. Llegaron mientras tanto dos señoras. Una de ellas preguntó quién estaba la última. La muchacha respondió con forzada naturalidad. La otra hizo como que no se enteraba.

Cuando le llegó el turno a la hija de Zubillaga, la carnicera dirigió la palabra a una de las señoras que había venido más tarde que la muchacha. Ésta dijo con suavidad que le tocaba a ella. La carnicera siguió hablando con la otra. ¿Qué te pongo? La hija de Zubillaga se arrimó sin titubeos al centro del mostrador. Doscientos gramos de jamón serrano. Lo tuvo que repetir. No me queda, respondió con sequedad la carnicera. La hija de Zubillaga señaló con el dedo la pieza de jamón colocada sobre la repisa de mármol cuajada de fiambres. Doscientos gramos de ése, por favor. La carnicera se dignó mirarla a la cara por vez primera. Una mueca de desprecio torcía su boca cuando dijo: Yo no vendo a los enemigos de Euskal Herria.

La muchacha volvió a casa con los dientes apretados, mirando fijamente a los ojos de los viandantes. No bien hubo entrado en el portal se le escapó un sollozo. Dejándose entonces caer sin fuerza sobre un escalón, estuvo llorando en las cuencas de sus manos hasta que, transcurridos no menos de veinte minutos, oyó que una puerta se abría en lo alto del edificio. Al instante se puso de pie, se enjugó las lágrimas con la manga de la blusa y a toda prisa subió a su vivienda, que estaba situada en el piso primero.

Acordó con su madre ocultarle a Zubillaga el incidente de la carnicería. Iba para unos cuantos días que no le contaban nada que pudiera agravar su decaimiento. Tampoco él salía del cuarto, donde pasaba largas horas sentado a oscuras, para preguntar si todavía lo amenazaban con cartas anónimas y pintadas en las paredes. Desde el domingo anterior, el teléfono permanecía descolgado por las noches para evitar que sonase a horas intempestivas. Durante el día, en cambio, tanto por la mañana como por la tarde, el aparato repicaba con frecuencia. Es probable que desde el otro lado del tabique, Zubillaga, por el diga de su mujer o de su hija, seguido del seco topetazo del auricular contra el receptáculo, adivinase que lo habían vuelto a llamar con malas intenciones.

Quien sí se identificó al aparato el domingo a media tarde fue el único concejal socialista de la localidad. Zubillaga atendió a la llamada, cosa que ya no volvería a hacer durante los siete días restantes de su vida. Por la mueca de pasmo que se le puso, la mujer comprendió, parada en el umbral de la sala, que algo grave ocurría. Se apresuró a arrebatarle el auricular y quién es. El concejal se presentó con su nombre y apellidos. Y dijo: La carpintería. ¿Qué pasa con la carpintería? Ya le he dicho a su marido que está ardiendo. Desde las ventanas de mi casa se ve el humo.

La carpintería de Zubillaga ocupaba un local de alquiler ni grande ni pequeño, en la planta baja de un inmueble situado junto a la orilla del río. Se cerraba con una puerta levadiza de metal sobre la que se extendía un dintel fijo con cuatro respiraderos. Estos respiraderos, dispuestos en fila, eran de tamaño inferior al de una cabeza humana. Tenía cada uno un vidrio movible. Durante el día, las telarañas y la mugre acumuladas en ellos apenas consentían el paso de unas hilachas de claridad. Zubillaga acostumbraba dejarlos entreabiertos en el curso de su jornada laboral; a veces también por las noches y durante los fines de semana, ya que con frecuencia utilizaba para su trabajo barnices, colas y otros productos químicos que despedían un olor penetrante.

En pleno día no se sabe quién había aprovechado aquella circunstancia para arrojar al interior del taller unas cuantas botellas incendiarias. Cabe también la posibilidad de que el autor o los autores del ataque rompieran algún vidrio. Nadie los vio, nadie los oyó, como nadie vio ni oyó de víspera a quien después de escribir con pintura de espray, en la puerta metálica, el nombre del carpintero, había trazado sobre él un círculo y una cruz en representación de una diana de tiro.

El fuego de las botellas debió de prender con rapidez en el cajón de las virutas, en los sacos de serrín, en las tablas, en el banco. El humo que salía por los respiraderos alertó a los vecinos, que, percatándose del peligro que corrían sus viviendas, tomaron la iniciativa de apagar el incendio por sus medios, sin esperar la llegada de los bomberos. Delante de la carpintería se congregó un nutrido grupo de personas. Varios hombres de la vecindad trataron en vano de forzar la puerta. Tuvieron que conformarse con arrimar una escalera de mano y verter el agua de los baldes por los respiraderos. El procedimiento resultaba tan penoso como ineficaz. Pronto el calor obligó a retroceder a los más tenaces, mientras el incendio se propagaba a sus anchas en el interior del local, donde de rato en rato se producían extraños estallidos. Ahora el humo salía también por las rendijas de la puerta: un humo blanco, espeso y violento que, al ascender pegado a la fachada, ocultaba por completo el balcón del primer piso.

En el balcón se oían los aullidos lastimeros de un foxterrier. A veces la humareda cambiaba de intensidad y se desplazaba ligeramente hacia un lado. Los de la calle podían ver entonces, durante dos o tres segundos, al animal que iba y venía lleno de angustia por el reducido espacio en que estaba atrapado, o que se afanaba por meterse en la vivienda estregando la persiana con las patas. Un señor pidió indignado que sacasen de allí al *txakurra*. No lejos de él, el vecino del primero, que era de los que habían intentado desencajar la puerta de la carpintería a golpes de escoplo y con una palanca de hierro, protestó diciendo que claro, para que se me meta el humo en el comedor y me joda los muebles y me deje la casa hecha un Cristo.

A todo esto, una vecina divisó a Zubillaga parado al principio de la calle en cuesta. Permanecía quieto como si no se atreviera a recorrer los últimos metros que lo separaban de su taller. La vecina dijo con rencor ostensible: Ahí está el verdadero *txakurra*. Y una que estaba a su lado añadió en tono similar que por su culpa va a arder el barrio entero y que con más razón se tenía que quemar él por traer problemas que no el pobre *Txiki,* que así era como se llamaba el foxterrier. De ahí a poco se vio entre el humo que la persiana del balcón se levantaba hasta formar por abajo una estrecha abertura. Por ella surgió una mano rápida que, agarrando sin contemplaciones al animal, lo metió de un tirón en la vivienda.

Más tarde, una voz de tantas propuso tender una soga entre el picaporte de la puerta de la carpintería y un coche o una furgoneta, con el fin de arrancar aquélla poniendo el vehículo en marcha. Coche, cuerda, arrancar: no había manera de entenderse en medio de la gritería, y cuando por fin uno de los presentes anunció que iba en busca de una cuerda así de gorda que tenía, según dijo, en la chabola de su huerta, sonaron cerca del puente de acceso a la localidad las sirenas de los bomberos.

Oculta tras los visillos del dormitorio matrimonial, la mujer de Zubillaga observaba la columna de humo que se levantaba sobre los tejados del fondo, en el cielo azul de la tarde. Su marido acababa de salir de casa. Al principio se había resistido. Para qué voy a ir si ya no hay remedio. La familia insistió. Sobre todo la hija: Aitá, es mejor que vayas, salva por lo menos el local, salva la puerta antes que te la tumben los bomberos. Le sugirieron que lo acompañara el hijo menor, pero contestó que no, que iba él solo. Su mujer lo vio desde la ventana alejarse por la calle. Caminaba despacio, con las manos en los bolsillos, como si no hubiera ocurrido nada, como si fuera de paseo, la boina inclinada más que de costumbre sobre la nuca y una falda de la camisa por fuera de los pantalones.

Después que Zubillaga hubiese doblado la esquina, su mujer permaneció junto a la ventana mirando el humo ascendente. No pasaban cinco minutos sin que el teléfono la sacara de su quietud. Amá, no cojas. Así y todo, la mujer de Zubillaga se acercaba al aparato, ponía la mano sobre el auricular y dudaba. Atendió a seis o siete llamadas. Dos fueron de personas que, sin darse a conocer, le transmitieron unas palabras de consuelo; una, de un pariente indignado, y el resto, de acoso y escarnio y la próxima vez será

156

peor, asquerosos amigos de los *facistas*, no vamos a parar de daros caña hasta que os larguéis.

Tres días antes, el hijo mayor se había marchado a vivir al caserío de un amigo, ya en los límites de la comarca, después de una agria disputa durante la cena. Cegado por la cólera, estuvo a punto de golpear a su padre. Pégame si te atreves. No lo hizo. A cambio, derribó de un manotazo la botella de sidra, soltó una ristra de juramentos y se fue.

La madre lo siguió profiriendo súplicas con voz doliente por las escaleras. No le había dado tiempo a la mujer de quitarse el delantal. Se le quebraba la voz, se le atoraba el aire en la garganta; pero el hijo se iba. El hijo se iba y ella, varios metros por detrás, estiraba los brazos para agarrarlo. En el descansillo del bajo, clic, sonó el chasquido curioso de una mirilla. La mujer se calló al instante. En silencio vio al hijo salir del portal. Al hijo. Demasiado rápido para poderlo alcanzar. Su espalda ancha, sus hombros, su melena recogida en una coleta y luego, nada. Llevaba el joven en sus zancadas una determinación furiosa que aún debía de durarle cuando al cabo de trece días enterraron a Zubillaga, ya que no acudió al cementerio.

Se conoce que por la mañana algunas personas del pueblo le habían negado el saludo por la calle; a él, que era más patriota que Dios, según dijo al llegar a casa a mediodía. Aquello lo había puesto de muy mala leche y con muchas ganas de aclarar el asunto y a ver qué hostias pasa aquí, si es verdad que ése, señaló a su padre con un golpe airado de barbilla, ha hecho lo que dicen que ha hecho. Por la tarde faltó a la carpintería, en la que aprendía el oficio con su padre, y se dedicó a recorrer el pueblo preguntando aquí y allá. Adondequiera que fue encontró conformidad en las respuestas. Un gesto de inquina, de rechazo, incluso de asco, se repetía en las caras. A veces, también, se repetían las palabras: No tengo nada en contra *tuya*, pero...

En la *herriko taberna*, donde había servido bebidas en no pocas ocasiones y donde no hacía un año que había ayudado a dar una mano de pintura al techo y las paredes, le dijeron que de momento es mejor que no vengas por aquí hasta ver cómo sigue la cosa. Entrando la noche llegó a su casa convencido de que el cura, que fue el último con quien había hablado, tenía razón. ¿Cómo un pueblo entero se va a equivocar? ¿A ti te parece posible que tantas y tan distintas personas se hayan puesto de acuerdo en una falsedad? Imposible, hijo mío. Y le aconsejó en el momento de despedirse, mostrándole las carnosas y pálidas palmas de sus manos: Intenta convencer al aitá para que... ya me entiendes. No le entiendo, *jauna*. Pues para que abandone el pueblo antes que ocurra lo que Dios quiera que no ocurra.

Eso el jueves. El martes, de anochecida, paró en la plaza del ayuntamiento el autobús con los que volvían de visitar a los presos, entre ellos a los dos chavales detenidos la semana anterior en una imprenta contigua a la carpintería de Zubillaga. Era la primera vez que sus familiares habían podido verlos desde la tarde en que agentes de la Guardia Civil hicieron saltar por los aires la puerta del local y los pillaron dentro de un polvorín que los dos jóvenes tenían montado en un pequeño sótano cuya entrada estaba disimulada debajo de una máquina impresora. Se conoce que había un truco para desplazar la máquina y que la trampilla por la que se accedía al sótano se abría por medio de un ingenioso mecanismo escondido en la pared. Los agentes venían avisados, avisados ¿por quién?, de modo que sorprendieron a los dos chavales atareados dentro del sótano, los atraparon en cuestión de un minuto y se los llevaron esposados a Madrid.

Zubillaga, que se encontraba solo en la carpintería, salió atraído seguramente por el estrépito de la explosión. Vio de cerca cómo metían a los detenidos en un vehículo estacionado justo delante de su taller. En aquel momento, algo dijo a los guardias civiles o uno de los guardias civiles le dijo algo a él, al parecer de broma o como mostrando alegría. El caso es que el martes los viajeros del autobús traían en la boca su nombre con muchas ganas de escupirlo por las calles del pueblo.

Cuando llegaron del largo viaje, Zubillaga estaba en la taberna echando una partida de mus con los amigos. Formaban la rueda los cuatro de costumbre. Hasta la hora de irse se jugaban uno o dos porrones a las cartas. Iba para varios meses que Zubillaga no fumaba cigarrillos; en cambio, gustaba de reservarse para las partidas en la taberna un puro habano que traía de casa. Solía encenderlo a eso de las nueve o nueve y cuarto, y lo saboreaba con una calma de sibarita que provocaba frecuentes chirigotas entre sus amigos. Consumido el puro, Zubillaga no tardaba en marcharse a cenar.

Aquel martes acababa de encenderlo cuando se asomaron por la puerta de la taberna las cejas tristes del hijo menor. El muchacho se acercó a él con rapidez y, durante unos cuantos segundos, le estuvo hablando al oído. A Zubillaga se le atirantó el semblante. Dile a tu madre que enseguida voy. Eso lo oyeron todos. Siguió jugando un par de manos, pero ya sin concentrarse y con el entrecejo preocupado, hasta que en medio de una partida aplastó la brasa del puro contra el fondo del cenicero y anunció que se iba. Pues si tú te vas, dijo su pareja de juego, yo también.

El tabernero les dedicó a modo de despedida una de sus bromas habituales. Fuera ya era noche oscura. La gente se había recogido y, salvo algún que otro vehículo de paso, no se veía un alma por la calle. ¿Ocurre algo? La mujer, que no sé qué quiere. Caminando sin hablar, los dos amigos llegaron ante el portal de Zubillaga. En la fachada del edificio, fresca todavía la pintura, podía leerse: ZUBILLAGA TXIBATO, con la consabida diana encima del nombre. El amigo apretó el paso como espoleado por una prisa repentina. A los pocos metros se volvió y, con la cara demudada y ademanes nerviosos, le susurró a Zubillaga: Bórralo antes que lo vean tus vecinos. Bórralo, rediós, que con esas cosas no se juega.

Golpes en la puerta

Es como si golpearan con una porra o con un palo en la puerta de hierro. Lo hacen quince, veinte veces por noche; puede que más. Desde el corredor le encienden la lámpara, se la apagan, se la vuelven a encender. Luego, retumbo de golpes otra vez. El ruido se agranda dentro de la celda hasta alcanzar resonancias de disparo. No le dejan dormir. Duerme a ratos, tapándose la cabeza con la manta. Cuando ya empieza a olvidarse de todo, el estrépito lo saca bruscamente de su precaria placidez. Un guardián le dijo el día de su llegada que no pensara que había venido a un hotel, que aquí a los asesinos de mierda se les trata como merecen.

En el suelo, junto a la pared, se ve un calendario de taco del Sagrado Corazón. Como están prohibidos los clavos y las escarpias, no lo puede colgar en la pared. Se lo envió su madre a finales de año por correo. La dirección del centro lo retuvo durante un mes. También él, cuando se lo entregaron, supuso que en su interior se escondería algún mensaje. Pasó dos días ojeando las páginas con atención. Buscó palabras, sílabas o letras marcadas de modo que al unirlas formaran frases, pero el empeño no prosperó. Casi tira el calendario a la basura por el temor al desánimo que sentirá en adelante al comprobar cada día lo gruesos, lo largos, lo interminables que son los años en prisión. No lo tiró porque a fin de cuentas se lo había regalado la madre y lo que viene de la madre no se tira, y a él, además, estando en régimen de aislamiento, el calendario le hace compañía. Ahora se alegra de haberlo conservado, ya que por las mañanas, al arrancar la hoja correspondiente, le da gusto leer las curiosidades impresas en el dorso.

Avanzada la noche, le vuelven a encender la lámpara. Más que la luz lo incomoda en esta ocasión un raspar como de uñas en el metal de la puerta, por fuera. Echa en falta los golpes sonoros. Los prefiere a ese ruidillo de gato malvado que le pone los nervios de punta. Nadie habla. Sin embargo, en el corredor hay alguien que apaga la luz de la celda y, tras unos segundos de oscuridad, la vuelve a encender. Desvelado, fija la mirada en la hoja del calendario. Febrero, 16. Pronto hará un año de la muerte de Koldo.

—*¿Has traído los petardos?*

—*¿Y tú el coche?*

—*Es el de ayer porque no quiero que se me queme uno de los nuevos.*

—*Mi aitá dice que hay que darlo todo por Euskal Herria.*

—*Tu aitá no puede decir nada.*

—*¿Cómo que no puede?*

—*Sí, como no grite por una ventana de la cárcel...*

—*Me escribe cartas. Dice que no le importa estar preso. Que lo importante es salvar Euskal Herria.*

A los diez años, Koldo ya tenía aquella manera de hablar, dura, sin rodeos, que más tarde le iba a dar muchos puntos dentro de la organización. Estaba cantado que alguna vez entraría en la dirección, como su padre, pero el destino le jugó una mala pasada.

—*Ese coche tuyo está muy* siquiña *y muy explotado. Yo que tú habría traído uno nuevo.*

De críos solíamos subir los dos a la cantera a jugar a las ekintzas. *Me acuerdo de sus bocadillos. Traineras les decíamos por lo largos que eran. Siempre de tocineta frita. No merendaba otra cosa. Le pegaba unos mordiscos feroces al pan. A veces le salía por el costado de la boca un hilo de corteza.*

Lo malo de los compañeros muertos, piensa, es que no responden nunca. Ya les puedes andar preguntando a todas horas. No responden. Él, como no puede pegar ojo, mira hacia el techo, hacia la puñetera lámpara que se enciende y se apaga. Una cicatriz le cruza la frente. La recorre con la yema de un dedo mientras en pensamiento le pregunta a Koldo si es mejor haber muerto o tener que aguantar durante la tira de años las cabronadas de los carceleros. Koldo es la lámpara. La lámpara no responde. Las lámparas y los muertos nunca responden y es inútil insistir.

Según se entraba en la plaza había una tienda de chucherías. Allí, unas tardes Koldo, otras tardes yo, comprábamos petardos. Si podíamos los mangábamos. La vieja los tenía encima del mostrador, dentro de una caja. La vieja sabía guardar sus propiedades, pero a veces se despistaba. Nunca hay que bajar la guardia. Eso decía Koldo cada dos por tres. Lo había leído en una carta de su aitá.

Hoy día petardos como aquéllos, de cartucho verde claro, igual no se venden. Ahora por lo visto los chavales gastan las horas delante del televisor y jugando con los ordenadores, y por eso, dicen, salen gorditos y mansos. Les interesa menos la lucha. Mi sobrino, a sus diecisiete años, pasa de implicarse, y eso que aquí estoy yo dándole ejemplo no sé para qué. Nosotros teníamos la cosa esa de ser fuertes. Eran otros tiempos. A los petardos de entonces les sacábamos la pólvora. La echábamos encima de una hoja de periódico. Siempre con cuidado. Que no se moje, que no se lleve el viento y tal y cual. Luego lo metíamos todo en un canuto de cartón. Al estallar, los canutos metían un ruido de la de

Dios. Y, ojo, porque si no quitabas la mano a tiempo te la podías quemar. Si no, que se lo pregunten a Koldo, que de mayor todavía tenía un agujero en la carne de un dedo.

Al lado del calendario hay un frasco con cápsulas. Se lo entregó el médico durante la última revisión, sin aclararle con qué fin.

Claro que Koldo, por mucho que le preguntes, no te va a responder.

Las cápsulas son blancas tirando a amarillas. Despiden un olor que tumba. Como vienen sin prospecto, él no las toma. Se va deshaciendo de ellas poco a poco. Las tira al inodoro o las esconde entre los restos de la comida, no vaya a ocurrir que se las hagan tragar por la fuerza.

En la ikastola, al principio, Koldo era uno de los que menos disimulaban el desprecio que me tenían. «Con ése no juguéis», les decía a los compañeros. Les decía o les mandaba; con él no estaba uno nunca seguro. Es curioso: no se peleaba con nadie y todos le obedecían. Yo había cumplido siete años. Por entonces estuvo jarreando sin parar durante una semana. El monte se empapó, se puso blando como una esponja, y una mañana toda la cima se cayó sobre la cantera. Tres obreros sepultados, dos del pueblo y uno de Lasarte. Anduvieron allí los bulldozer dale que te pego, moviendo toneladas de rocas y tierra. La madre, mi hermana y yo íbamos a verlos desde el camino, cada vez con menos esperanza. Empezaba a llorar la madre, luego mi hermana y, como me daba vergüenza estar allí tan seco y tan tranquilo, me ponía a hacer unos ruidos con la boca como que también lloraba. El padre no apareció. Se conoce que el corrimiento lo arrastró hasta el río, que es donde quedó su volcadora medio hundida en el cauce, y por eso pensábamos en casa que no lo pudieron encontrar como a los otros, porque a él se lo llevaría la corriente. A los pocos días me vino Koldo arreándole bocados a su pan con tocineta. Me plantó la mano en un hombro. ¡Joder, qué honor! Coge y me suelta que su aitá, cenando la víspera, había dicho que mi padre ya era vasco, que no importaba si había nacido fuera, que ya era parte de Euskal Herria porque había dado su vida trabajando por la tierra y porque estaba dentro de la tierra. Me dejó con la boca abierta. Por un momento me alegré de que mi padre no viviera. Yo creo que nunca he conseguido sacarme de encima la impresión que me causaron aquellas palabras de Koldo. ¡Con siete años! Le di las gracias sin atreverme a mirarle a la cara. Él me dijo, todavía con una mano encima de mi hombro: «Tú y yo tenemos que ser amigos». Yo dije: «Vale», y ese día me convertí en su sombra.

Piensa que llegará un momento en que, a menos que entren a sacudirlo o a echarle por encima un balde de agua fría, podrá dormirse así suenen golpes en la puerta. Ya pasa mucho de la medianoche. Desde que lo trasladaron a este centro penitenciario le ha empeorado el eccema. No va a pedir ayuda médica hasta que no deje der ser un preso FIES.[*] Se lo tiene prometido. No se fía. Por ahora, el único tratamiento que lleva es el de no rascarse. Así se lo aconsejaba en otros tiempos su madre, de quien heredó la propensión a la enfermedad. A él, por lo general, la psoriasis le ataca el cuero cabelludo y un poco, durante el invierno más que nada, el pecho. Sin embargo, sea por el rancho de la cárcel, sea por la depresión, por el miedo que le meten o por algún fármaco que le habrán dado a escondidas, según sospecha, por primera vez en su vida tiene los testículos cubiertos por una costra escamosa. La costra a menudo se le irrita y le produce picores que él trata de aliviar untándose la zona afectada con pasta de dientes.

[*] Fichero de Internos de Especial Seguimiento (FIES), en la práctica un régimen de internamiento severo que empezó a aplicarse en 1991. *(N. del A.)*

Alguna explosión de cuando todavía funcionaba la cantera había formado en la pared de roca una pequeña entrada. Era nuestro txoko secreto. Allí nos metíamos Koldo y yo porque, como dentro se estaba a resguardo, se manejaban mejor las cerillas. Bueno, también porque nadie nos podía junar desde el camino. Y me imagino que tampoco subiría hasta las casas el pedorreo de los petardos.

–Tu aitá ¿se mató por aquí cerca?

–Sería más allá, por donde el río.

–¿Habéis buscado en ese sitio? Igual encontrábamos la calavera tú y yo si cavaríamos con palas. Sería la hostia, ¿eh? Tu aitá ¿de dónde era?

–De un pueblo que se llama Logrosán.

–¿Logro... qué?

–Logrosán.

–¿Por dónde cae eso?

–Por ahí abajo.

–Tu aitá sería africano, pues.

–No, de Extremadura.

–Casi lo mismo.

Había en el suelo una piedra grande, plana por arriba, sobre la que nos sentábamos a fumar colillas. Las cogíamos en una huerta donde un tabernero del pueblo quemaba la basura de su bar. A veces teníamos suerte y pillábamos media faria con su papel y todo. En nuestro txoko la compartíamos como buenos amigos, por turnos. Una calada tú, otra yo. El que se fumaba la última ganaba la partida. Cantidad de tardes nos quemábamos los labios por no cederle al otro la victoria.

La piedra nos servía también de mesa. Poníamos encima la hoja de periódico como si fuera un mantel. Con la uña o con los dientes les arrancábamos la punta a los petardos. Luego íbamos vaciando la pólvora en el centro de la hoja. Yo me encargaba de *preparar el canuto cortando un cacho de un cilindro de esos en los que viene enrollado el papel de cocina; tapaba uno de los agujeros, por el otro metía la pólvora poliki-poliki y la apretaba con un palito. Koldo estaba ahí empalmando mechas. Al final nos salía un superpetardo de puta madre.*

El sistema de apertura automática emite cuando es accionado un sonido particular que a él le inspira pavor. Irrumpen en la oscuridad de la celda diez o doce siluetas con escudos y porras. Algunas de estas porras se perfilan por encima de las cabezas en la claridad mortecina del corredor. Los guardianes entran a la carrera, armando un guirigay de órdenes, insultos, palabrotas. Se arrojan sobre el recluso y lo desnudan a viva fuerza antes de esposarlo de pies y manos. Ni aunque lo intentara se podría resistir. Así y todo, un guardián jadeante le sacude una tanda de porrazos en las nalgas. Los demás registran el estrecho recinto a la luz de las linternas. El registro no dura más de dos minutos. De nuevo a solas, no sabe dónde tenderse, pues le han retirado el colchón por razones de seguridad. Se sienta en el suelo frío, con la espalda recostada en el tabique. Mantiene la palma de la mano sobre el pecho como si tratara de frenar así las palpitaciones. De vez en cuando se toca, nervioso, la cicatriz de la frente. Se oyen gritos provenientes de la celda contigua. El alboroto se repite de rato en rato, siempre en un sitio distinto del módulo. Él se pregunta de qué estábamos hablando antes que llegaran los carceleros. Hablábamos de Koldo, se responde. Y dice: Cuánto envidio tu memoria, compañero.

—*¿Pongo el coche en su sitio?*

—*Espera. Nos falta la calle.*

Con la punta de una navaja, Koldo rayó en la piedra grande dos líneas paralelas, más separadas que de costumbre.

–¡*Qué pasada de calle!*

–*Es que hoy hacemos la* ekintza *en Madrid, en una avenida con un montón de tráfico y gente por las aceras. Les vamos a dar caña. Hoy van a caer como moscas.*

Por los bordes fue repartiendo una fila de piedras que figuraban edificios y, entre medias, pajitas y hierba que figuraban árboles y peatones. A Koldo si algo no le faltaba era imaginación.

–*Nosotros éramos un* talde *y estábamos escondidos esperando al enemigo, yo aquí y tú ahí. Me tienes que echar una señal si vienen policías, ¿vale? Nunca hay que bajar la guardia. En Francia han dicho que yo apriete el botón.*

–*Siempre te escogen a ti.*

De nada servía protestar.

–*Ayer tenías tú las cerillas.*

–*Sí, pero el petardo no explotó a la primera y luego lo encendiste tú.*

–*Bueno, nosotros tenemos que hacer lo que manda la dirección. Tú vigilas hoy y otro día me toca a mí.*

El coche era blanco, de rallies. Me lo regalaría alguno de mis tíos, supongo, o igual la madre. Estaba bastante chamuscado, sobre todo por dentro; pero, qué cojones, aún valía. A Koldo le gustaba para cada ekintza *uno nuevo, como si los hubiera a miles en mi cajón de juguetes. Al principio explotábamos un día uno suyo, otro día uno mío. Pero se acabaron los de él, que eran pequeñajos y de plástico. No le llegaba el dinero para coches mejores, pues desde que habían hecho preso a su aitá la familia andaba con apuros económicos. Y, como yo tenía más coches y encima daban buen resultado, pues al explotar pegaban unos botes como en la realidad, entonces venga a usar los míos.*

El coche aquel, si lo empujabas con fuerza para atrás, salía como una bala hacia delante. Tenía pegado el número 5 en el capó y, si mal no me acuerdo, también en las puertas laterales, que ade-

más se abrían, de eso estoy seguro. Tenía ruedas de goma con ta-
pacubos de color de plata, y faros que parecían de verdad, y bue-
no, le faltaba la pintura y estaba medio negro de la ekintza *de la*
víspera, pero para mí que aún valía, aparte de que, aunque Kol-
do se cabreaba, esa tarde no teníamos otro.

Ya respira sin fatiga, ya el corazón se le ha calmado, ya
hace rato que no suenan gritos en el módulo. Reina un silencio magullado, comprimido en celdas oscuras donde
los reclusos se tragan, por la cuenta que les trae, su que-
jumbre. Un silencio que a él le parece que se puede agarrar
y se puede oír. A lo mejor no es silencio sino el alboroto
de antes que persiste en forma de murmullo dentro de sus
oídos, repitiéndosele como le repite en la boca la comida
cada vez que ponen esas sopas instantáneas que saben a
medicina, a loción para el cabello, a cualquier cosa menos
a alimento saludable.

¡Aquellas cenas de los sábados en la sidrería del pueblo! Le baja el ánimo el recuerdo de un chuletón asado a
la parrilla, con sus trozos de ajo por encima, su grasa olo-
rosa y su perejil, regado todo ello con sidra de la *kupela*.
Alrededor de la mesa, la cuadrilla bromista y reidora, repartida en la actualidad por cárceles y cementerios, como no
sea alguno que se marchó al exilio con lo puesto y otros,
con dos dedos de frente, ahora que lo piensa, que se apea-
ron a tiempo del carro de la lucha armada. A él lo metió
Koldo. Si Koldo se tira de cabeza al mar, él lo sigue antes
que se haya esfumado la espuma de su zambullida. No
abriga al respecto la menor duda.

Se le figura que está viendo a la cuadrilla ahí delante.
Caras coloradas de alegría. Entrecejos enfadados cuando
brindan por la independencia; cuando denigran al alcalde
del PNV por flojo, a los concejales socialistas por enemigos

de lo vasco, e insultan a los votantes de éstos, gente de fuera, dicen, que viene a chupar del bote y a españolizar Euskal Herria, me cago en la madre que los parió. Y cuando ya se han cansado de estar de acuerdo en todo, se enzarzan en discusiones interminables sobre traineras, sobre fútbol o pelota, cruzándose apuestas mientras parten el pan con dedos aceitosos o pelan a dentelladas el hueso de la chuleta. De postre, queso, nueces o dulce de membrillo para los maricas, que decía Koldo, aunque también lo probaba. Y para rematar que no falten el humo de los puros, los carajillos, las partidas de mus hasta la hora de echar el cierre.

Suponiendo que por hallarse la celda a oscuras no lo vigilan, como es costumbre, por alguno de los orificios de la puerta, acerca las manos a la nariz con la ilusión de percibir aquel olor lejano de la carne asada. Es un acto absurdo; lo sabe, pero no le importa. Él procura preservar de las miradas de los guardianes sus cosillas íntimas, sus manías y sus ritos por ridículos que puedan parecer. Ridículos ¿para quién?, se pregunta.

Está desnudo en la oscuridad. Nota que el frío le va entrando en el cuerpo, que ya tiene los pies entumecidos. A tientas busca el buzo por el suelo. No se le permite vestir su propia ropa. Antes tenía un aparato de radio, pero se lo llevó sin darle explicaciones un carcelero que gasta muy mala leche. Ha pasado un mes y todavía no se lo ha devuelto. Se viste a oscuras, haciéndose ilusiones de que, si en lo que queda de noche lo dejan tranquilo, a lo mejor consigue dormir hasta el amanecer. Con suerte quizá no lo incordien temprano, puesto que ya nadie ha de entrar a llevarse su colchón como cada mañana. Pero..., ojo con las esperanzas. Luego no se cumplen y entonces pasas un día de perro apaleado.

Koldo sacó de un bolsillo del pantalón una foto del periódico.
Esto lo hacíamos a menudo. Él en su casa o yo en la mía, recor-
tábamos fotos del periódico con pikoletos y gente por el estilo que
habían caído en una ekintza *de verdad, y las metíamos junto con*
los petardos dentro de los coches para que se quemaran.

–Tú coloca el coche delante de esa casa. Ahí es donde vive el
enemigo.

–¿Quién es?

–Un general del ejército, un pez gordo. El nombre no importa.
Eran las ocho de la mañana, tú y yo esperábamos fuera, cada uno
en su sitio, ¿eh? Que no haya fallos porque si nos cogen ya vas a
ver tú. El general saldrá echando virutas. Tiene que ir a trabajar
a un ministerio o algo así. Es igual. Por mí como si va a misa.

Koldo me dio la foto para que yo la metiera dentro del coche.
La cara del fulano me sonaba. Pregunté:

–¿A éste no se lo cargaron el otro día a tiros?

–Bueno, nosotros nos lo vamos a cargar con bomba. Lo quie-
re así la dirección.

–Y escolta, ¿qué? ¿No lleva?

–Joé, pues es verdad. Se me había olvidado. Por lo menos hay
que poner a uno que conduce, porque los generales siempre se sien-
tan atrás.

Buscamos una foto en la hoja de periódico con la que había-
mos cubierto la piedra grande.

–Esto es todo de deportes.

–¡Qué más da!

–No vamos a poner a un jugador de la Real, ¿eh?

–Ésa, ¿de quién es?

–De un tenista que ha ganado un montón de torneos.

–Pues ráncala. *El caso es que el general no vaya solo.*

Luz. Oscuridad. Luz. Golpes en la puerta: un redoble,
al parecer de porra, contra el metal. El estrépito apenas lo

sobresalta. ¿Será la costumbre?, se pregunta. En el anterior centro penitenciario ocurría lo mismo. Y en aquel otro donde lo encerraron al principio, también. La primera semana, cuando todavía tenía ánimos para plantar cara, uno le soltó: Escucha, terrorista, somos funcionarios de prisiones y no carceleros, así que mucho cuidado si no quieres probar las consecuencias de que te endilgue un parte.

La lámpara permanece encendida por espacio de diez o doce minutos. Con la vista nublada por el cansancio, él se percata de que el frasco está volcado lejos de donde lo tenía puesto. El tapón ha rodado en la dirección contraria y hay cápsulas esparcidas por el suelo. El calendario del Sagrado Corazón ha desaparecido durante el registro. ¿Se lo habrán llevado por razones de seguridad, lo mismo que el colchón? Un calendario de taco puede ser peligroso, sobre todo en febrero, cuando todavía conserva gran parte de las hojas. Por ejemplo, concluye, si se lo tiro a un carcelero y le doy en medio del ojo...

–*Algún día, cuando seamos grandes, haremos* ekintzas *de verdad, ¿eh, Koldo?*

–*Joé que sí. ¡La de enemigos de Euskal Herria que nos vamos a cargar!*

–*Tú, si pudieras, ¿a quién te cargabas?*

–*¡Vaya pregunta! Pues al Rey. Y luego correría a contárselo a mi aitá. Voy y le digo: aitá, he sido yo, te lo juro. Como no me llega el dinero para regalos, esta* ekintza *te la dedico de todo corazón en el día de tu cumpleaños.*

El frasco de medicinas y el calendario eran, por así decir, su mobiliario dentro de la celda. Ahora lo han dejado a solas con las paredes y la puerta, con la ventana y el somier. En este instante no posee un solo objeto personal. Ni una foto de sus familiares o de la novia (o medio novia)

174

que se había echado poco antes de su detención, ni la cadena de oro que le regaló la madre cuando cumplió los dieciocho. Todo se lo quitaron. Ni siquiera dispone de un espejo. A los presos FIES les están vedados los espejos. Por esta razón lleva varios meses sin verse la cara. Intenta mirarse en las placas plastificadas que sustituyen a los vidrios en la ventana. Apenas logra distinguir un vago contorno y sombras como de semblante cubierto por una sábana.

Barrunta que desde hace algunos meses está perdiendo el cabello. ¿Cómo comprobarlo? Pasándose la mano por la cabeza. Otro remedio no hay. A menudo se le quedan unos cuantos pelos entre los dedos. Pero si se le han formado entradas o si tiene la coronilla al aire, eso no lo puede saber con certeza. Me gustaría recuperar la cara, dice. ¿A ti también? Se imagina que es dos personas. El truco le permite conversar. A mí lo que me gustaría, responde, es recuperar la radio. ¿Y el calendario? Y el calendario, por supuesto. Nos lo regaló la madre, acuérdate. De paso me gustaría recuperar la libertad, dice el uno. Y a mí la juventud, que se me está pudriendo entre estas paredes, dice el otro. ¿Que se te está o que se nos está pudriendo? Venga, no te hagas el tonto, tú ya me entiendes.

Oscuridad.

Ya digo que al coche blanco se le podían abrir las puertas. Entonces, con el palito de apretar la pólvora, empujé la foto del general hacia los asientos traseros y la del escolta justo al lado del volante. El petardo fue mejor meterlo por la otra puerta, en diagonal para que entrara un cacho largo. Luego esa puerta no se podía cerrar, pero daba igual. Lo bueno era que el petardo tocaba las dos fotos del periódico, porque si no las toca a lo mejor no se queman. Ya nos pasó una vez.

–Casi es la hora. Tú ya estás en el otro lado de la calle. Uno

del talde *está detrás de esta piedra en un coche, preparado para sacarnos del sitio.*

—¿Te mando una señal como que viene de paso un coche de la policía?

—Claro, claro, tú no bajes la guardia, ¿eh?

—¿Te silbo?

—Sí, para que se entere todo dios... Mueve la mano. O mejor te pones de espaldas a la carretera. Así yo sé que hay un problema.

—Vale.

—Te vuelves a mirarme cuando haya pasado el peligro.

Koldo encendió una cerilla. La luz de la llama le alumbraba la cara. Lo he visto actuar de mayor. Ponía el mismo entusiasmo que de crío. Yo me eché dos pasos para atrás. Más que nada por el ruido. Allí, dentro del txoko, *el petardazo sonaba con una fuerza que te podía dejar un pitido dentro de la oreja.*

—Atento, que ya sale el general. ¡Gora Euskal Herria, *gora* ETA *y otro cabrón a tomar por el culo!*

Le pegó fuego a la mecha, que empezó a chisporrotear y a producir ese sonido de cuchicheo. Piiiif. Muy corto. Dos o tres segundos.

Le quedó una cicatriz en la frente. Va para un año. Se la toca en la oscuridad con la yema de los dedos. Se la toca, se la acaricia, se la rasca a menudo, a veces despacio, como para avivar los recuerdos; a veces lleno de inquietud. No duele. Ya forma parte inseparable de su cara, igual que la nariz o los ojos. Así será hasta el día en que se muera y se le corrompa la carne. Como no le dejan tener un espejo, no se la puede ver; pero ahí está. Una acusación. Un castigo. El corte se lo hizo al embestir contra la pared del calabozo, por desesperación, por remordimiento, la noche del interrogatorio en que se vino abajo y reveló las señas del garaje donde solían preparar los coches con los que luego atentaban en Madrid. Se dio de cabezadas en cuanto lo dejaron solo. Qué ruido haría que los interrogadores entraron a pararlo y lo tuvieron que atar a la litera.

Yo, se dice, lo que quería es que estuviéramos juntos, Koldo, en la cárcel o donde sea, porque al final a todos nos cogen, tú bien lo sabes, y, si no, acuérdate de tu aitá. Seguro que también le zurraron y cantó. Luego leí en el periódico que tú empezaste a disparar a lo bestia aunque te tenían rodeado. A quién se le ocurre. La cagaste bien cagada, compañero. No sé si me estás escuchando, pero por si acaso te lo digo. Koldo, ¿me escuchas?

.

El hijo de todos los muertos

Era el comienzo de una noche entre dos días laborables. Ella estaba en su habitación preparándose para dormir. Encima de la mesilla había una novela en lengua inglesa; encima de la novela, unas gafas, y al lado, un pequeño diccionario de pastas amarillas. Ella se recogió la melena mirándose en el espejo del ropero. Después se dirigió descalza y en camisón a la cocina. Tenía treinta y nueve años, labios serios, un cerco de fatiga alrededor de los ojos.

Atravesó el pasillo sin otra luz que la de los resplandores provenientes del televisor de la sala; éstos se derramaban por el techo y las paredes, cambiando a cada momento el color del empapelado. Se oían las melodías alegres, las frases sentenciosas y las exclamaciones de felicidad hogareña de los anuncios publicitarios. En la cocina puso a remojo una pastilla efervescente contra el dolor de cabeza, esperó a que se hubiera disuelto y apuró el vaso de un trago. A los pocos segundos se oyó la voz del hombre del tiempo. Ella fue entonces a la sala y se sentó delante del televisor. Por la puerta del balcón podía verse la noche de la ciudad con sus puntos luminosos atenuados por las cortinas de gasa.

A la información meteorológica siguió un largometraje. El reloj de pesas señalaba las diez y cinco. Se levantó para apagar el televisor, pero volvió a sentarse no bien hubo aparecido en la pantalla el rostro de la protagonista. Una atractiva diseñadora de moda viaja a Montreal y se introduce en un ambiente de prostitución de lujo para esclarecer el asesinato, acaecido meses atrás, de una cantante famosa que luego resulta ser su hermana. Dieron las once cuando el guapo de la película comete un desliz que abre la primera brecha en su coartada. Ella se levantó de un salto y se apresuró a apagar el televisor. Al día siguiente la esperaba una larga jornada de trabajo. Yendo por el pasillo, llamaron su atención las rendijas iluminadas de la puerta de la habitación contigua a la suya. Decidió echar un vistazo.

–¿Todavía despierto? –En la expresión de su cara había más reproche que sorpresa–. Te recuerdo que mañana es día de colegio.

Sentado sobre la cama cubierta aún por la colcha, la espalda recostada en los barrotes de la cabecera y los zapatos puestos, al muchacho se le enfurruñaron las facciones. De forma ostensible evitaba levantar la mirada hacia su madre. Le dio una sacudida desafiante al flequillo, que le llegaba casi hasta las cejas.

Ella abrió la puerta de par en par y se plantó de brazos cruzados en el umbral, como dando a entender que estaba dispuesta a pasar allí la noche entera si él no se dignaba dirigirle la palabra.

–¿Qué pasa?

El hijo parecía enfrascado en el estudio de sus propias uñas.

–Nada.

–¿Cómo que nada? ¿Sabes la hora que es? Mañana tienes que madrugar y todavía sigues vestido.

–Catorce años –dijo sin levantar la vista de las manos.

–¡Por Dios, Íñigo! No me digas –a la madre se le ablandó de pronto la expresión– que a tu edad te roba el sueño un cumpleaños. Ten un poco de paciencia. Faltan diez días. ¿No puedes dormir porque estás pensando en lo que quieres que te regale?

–Pues sí.

–¿Ya sabes lo que quieres?

–Lo sé.

–¿Y qué es?

–La verdad.

–¿La verdad? Como no te expliques...

–Hace catorce años mataron al aitá.

Durante varios segundos permanecieron los dos en silencio, escrutándose como si trataran de leerse los pensamientos en el fondo de sus respectivas miradas.

–¿Quién se ha ido de la lengua? –Ahora era ella la que tenía las cejas adustas.

Iñigo imitó su gesto para decir en tono cortante:

–Alguien que no miente.

–Ha sido el *aitona*, esta tarde, ¿verdad? Me va a oír.

A media tarde habían llegado al piso de los *aitonas,* donde tenían previsto cenar. Antes su madre y la *amona* debían pasar por la tienda de muebles a recoger una mesa, ya pagada, de hojas abatibles, y por esta razón Iñigo y su madre se habían desplazado en coche, a pesar de que los *aitonas* paternos vivían a sólo tres manzanas de su casa. Iñigo bajó con las dos mujeres hasta el portal. Allí le preguntaron como de broma si no le apetecía acompañarlas. Con la boca repleta de merienda, el muchacho les dijo que si la mesa no pesaba mucho y no lo necesitaban a él para cargarla dentro del coche, prefería reunirse con los amigos. Su madre le susurró algo a la *amona,* que sonrió con picardía. Tras dejar que la puerta se cerrase delante de ellas, Iñigo se marchó sin despedirse.

Frente al edificio donde vivían los *aitonas* se extendía una plaza con bancos, unos pocos árboles de escasa altura y una fuente de agua potable. En un costado, cerca de una tapia que rodeaba el jardín de un colegio de monjas, se alzaba un quiosco de música provisto de una escalera de acceso y una barandilla con balaustres en derredor de la plataforma. Amarrada a la barandilla, había una pancarta en la que podía leerse: KARMELE ONGI ETORRI , y otra, un poco más allá, de menor tamaño, que mostraba una serpiente enroscada en el mango de un hacha vertical.

Aquella tarde de comienzos del otoño, con temperatura agradable y cielo despejado, la plaza estaba de bote en bote. Los niños bulliciosos corrían de un lado para otro entre gente repartida en grupos de conversación, amos con perro y madres que trataban de abrirse paso con su carrito de bebé. Los ancianos tomaban el fresco sentados en los bancos. De vez en cuando alzaba el vuelo una paloma espantada; raro era, sin embargo, que no regresase al poco rato para sumarse a las otras que esperaban entre las piernas del gentío a que alguien arrojase un puñado de migas a la rebatiña.

Mientras hacía cola delante de la fuente, Iñigo acabó de comer su bocadillo. Echó un trago largo de agua y a continuación se encaminó hacia el fondo de la plaza secándose los labios con la manga de la sudadera. Ágil y espigado, saltó la tapia sin dificultad. A menudo su cuadrilla se juntaba en el patio de aquel colegio de chicas donde, fuera de las horas lectivas, se permitía a los chavales jugar en el campo de baloncesto a condición de que guardaran la compostura. No bien sonaban botes de balón sobre el suelo de cemento, una de las monjas se asomaba a alguna de las ventanas del primer piso. La monja salía a despacharlos en cuanto empezaban a pelearse, a soltar gritos y palabrotas, o en cuanto alguno de ellos se llevaba a los labios un cigarrillo.

En el patio del colegio había tres o cuatro niñas de uniforme jugando a la cuerda. Iñigo, las manos en los bolsillos, pasó por su lado en dirección a la verja de salida. Tomó después un atajo que llevaba a través de callejas malolientes, sembradas de cachivaches, de bidones y pilas de cajas, hasta el frontón del barrio, en la parte trasera de la parroquia. Según bajaba la cuesta vino a su encuentro una muchacha regordeta de edad parecida a la suya. Acababa de apartarse de un grupo de amigas arracimadas en corrillo cuchicheante a la puerta de una tienda de chucherías, frente al frontón donde un enjambre de chavales jugaba a la pelota.

–Que dice la Bego que a ver si le respondes.

–Pronto.

–Dice que si no te gustas de ella que se lo digas, que no pasa nada, pero que no hay derecho a que la tengas esperando tantos días.

Iñigo divisaba por sobre los hombros de la regordeta, como a cincuenta metros de distancia, las miradas expectantes de las muchachas.

–Bueno, pues dile que la veo dentro de un rato donde la otra vez. Y a las demás que no vengan detrás *nuestro,* ¿eh? Como pille a alguna, me largo.

Al salir de la habitación, la madre cerró la puerta de un golpe. Sonaban por el pasillo los pasos furiosos de sus pies descalzos. Se apagaron al pisar la moqueta de la sala. Entonces Iñigo saltó fuera de la cama y, sin hacer ruido, entreabrió la puerta. Un dedo estaba pulsando con rabia las teclas del teléfono. Tras unos segundos de silencio, oyó a su madre decir:

–Pepi, soy yo.

...

–Escúchame, te llamo por otra cosa. ¿Está tu marido levantado?

...

–Y no lo puedes despertar, supongo.

...

–Sí, grave, Pepi, muy grave. Por lo menos desde mi punto de vista, no sé si también desde el vuestro.

...

–Créeme que no es mi intención asustarte. Sucede que tu marido se lo ha contado.

...

–¿Pues qué va a ser? Lo de José Manuel.

...

–Como hay Dios que se lo ha contado. Esta tarde, mientras buscábamos la mesa.

...

–Encima de la cama, sentado con ropa y zapatos. ¿Qué coño le digo yo ahora para que no se piense que su madre es una mentirosa?

...

–Pero eso, Pepi, no es lo que teníamos hablado. Dijimos que no antes de los dieciséis años. Ha debido de ser un mazazo para él.

...

–Naturalmente que se habría enterado. ¿Te crees que soy tonta? ¿Por qué, a ver, por qué le venimos al chaval con un problema que lo puede traumatizar? ¿Te parece que no tiene suficiente con las preocupaciones de su edad?

...

–En fin, ya me doy cuenta de que no puedes ayudarme. Menudo papelón el mío. Mañana me espera muchísimo trabajo y esta noche seguro que no voy a pegar ojo.

...

–Sí, ahora ponte a llorar. ¡Como si eso arreglara las cosas!

...

–Déjalo, no vale la pena. Sus razones habrá tenido. Que duerma y otro día a lo mejor me lo explica, porque yo, Pepi, te juro que no entiendo cómo ha podido meter la pata de esta manera.

...

–¡Qué adrede ni qué ocho cuartos!

...

–Llámame cuando quieras.

Nada más colgar, la madre apagó la luz y, sin moverse de donde estaba, rompió en unos sollozos que a Iñigo le llegaban amortiguados, como si su madre se hubiera tapado la cara con un paño, con un cojín o con algo parecido mientras lloraba.

Al rato, cuando sintió que a ella se le iba pasando la llorera, cerró la puerta con sigilo y se volvió a la cama.

El edificio de las escuelas públicas, cerradas hacía muchos años, presentaba un aspecto ruinoso. Las piedras lanzadas desde la acera habían acabado con los vidrios de las ventanas, incluidos los de la planta superior, al alcance tan sólo de los brazos más fuertes. El vano de la entrada principal había sido cegado con tablones. Tejas partidas, cascotes desprendidos del entablamento y pedazos de canalón yacían desperdigados entre los hierbajos del suelo y por las escaleras que subían al porche, recubiertas de verdín. Un cartel fijado en lo alto de un madero anunciaba la pronta construcción en aquel mismo solar de un bloque de viviendas. El vetusto edificio estaba rodeado por una valla de tela metálica. Letreros colocados de trecho en trecho prohibían la entrada al antiguo recinto escolar. Los chavales no tenían dificultad para pasar por las roturas de la valla a una zona de zarzas y matas donde a fuerza de pisadas habían labrado una senda que conducía a un escondite seguro. El escondite consistía en un calvero de apenas dos metros cuadrados que la vegetación espesa hacía invisible desde la calle. Desperdicios de distintas clases, papeles quemados, colillas y cristales de botellas se esparcían por el suelo. Un abrechapas roñoso pendía de un cordel atado al tallo de un arbusto.

Bego ya estaba allí, mascando chicle con un meneo rítmico de mandíbula, cuando Iñigo llegó. Él le tendió sin saludarla, o acaso a modo de saludo, su paquete ya empezado de cigarrillos.

–¿Fumamos?

–Vale.

La llama del encendedor alumbró una cara de facciones angulosas. Bego tenía un aire aniñado con su flequillo recto y sus ojos pequeños, vivarachos. Llevaba un aro de níquel atravesado en una de las aletas de la nariz y, en torno al cuello, una gargantilla de cuero de la que colgaba un mapa diminuto de Euskal Herria, tallado en madera.

–Sabe superbién –dijo después de echar hacia arriba la primera bocanada de humo.

–Los traen de contrabando.

–Joé, serás millonario, ¿no?

–Éstos se los mango a mi vieja. No se entera. Como los encarga por cartones...

Bego vestía una sudadera granate de algodón, con capucha de cordones y unas palabras en inglés, de un material brillante ya cuarteado y descolorido, sobre la pechera. Las mangas subidas dejaban al descubierto dos antebrazos delgados, pálidos, cubiertos de abundante pelusilla.

–Iñigo, ¿cuándo me vas a responder?

–Responder, ¿a qué?

–Joé, pues a lo que te dije el otro día.

–No sé. ¿Tienes prisa?

Bego le daba caladas cortas y rápidas a su cigarrillo, sin sacarse el chicle de la boca. Iñigo fumaba con indolencia, expulsando por la nariz el humo que luego le subía despacio por la cara. A cada poco sacudía la cabeza para apartarse el flequillo de la frente.

–Sabe de puta madre.

–Claro, es que son de contrabando.

Estuvieron cosa de un minuto mirándose el uno al otro en silencio. Ella pinzaba el cigarrillo con el índice y el corazón estirados; él agarraba el suyo usando el índice y el pulgar como tenaza. En esto, la muchacha tiró la colilla al suelo, la pisó y dijo poniendo un gesto de sumisión:

–Hostia, Iñigo, no seas así. Dime sí o no, y ya está.

Él tiró la colilla hacia las zarzas antes de responder:

–Es que no puedo.

–¿Por qué no puedes?

–Pues porque la Asun me dijo que también se gusta de mí. Y me lo dijo un día antes que tú y por eso le tengo que responder primero.

—Entonces, ¿qué hacemos?

—Esperar.

—Joé.

Bego estiró el cuello para mirar detrás de Iñigo, hacia la senda.

—¿Viene alguien?

Iñigo volvió la cabeza.

—No creo.

A toda prisa, Bego metió la mano en un bolsillo de sus pantalones y sacó un condón en su envoltorio.

—Hostia, Bego, ¡qué lanzada!

—Te lo doy si me dices que sí.

—Primero le tengo que responder a la Asun.

—La Asun no te lo va a dar. Es una estrecha, si lo sabré yo... Encima es hija de un socialista. A mí no me entra que ésa te guste.

—Si no es eso... Es que para decirte algo le tengo que responder primero a ella.

—Iñigo, *porfa*. Te lo doy aquí mismo, de pie o tumbada, como quieras. Pero tiene que ser echando leches. A y media me voy al homenaje de mi hermana. ¿Qué hora es?

Iñigo echó un vistazo a su reloj.

—Y cuarto van a dar.

—No hay tiempo —dijo con la boca contraída por un mohín de desilusión—. Me largo a casa pitando. Le he pedido a Karmele que me deje estar al lado *suyo* todo el rato. Ella no lo sabe, pero los de la *herriko taberna* le han hecho una ikurriña que, sin exagerar, va de un lado al otro de la calle. Y por la noche tenemos cena en la sociedad. Va a venir gente importante de la izquierda abertzale. Yo eso no me lo pierdo. ¿Estarás luego en la plaza?

–Bueno.

–Si vas no te pongas al lado de la tapia de las monjas porque ahí es donde van a quemar la bandera española. No lo cuentes a nadie, ¿eh?

–¿Quién? ¿Yo? ¿Estás chalada o qué?

–*Tori* –le puso el condón en la palma de la mano–, guárdalo para cuando me respondas. ¿Te puedo dar un *musu*?

–Pues dame.

Tras escupir el chicle al suelo, Bego rodeó con sus brazos el cuello de Iñigo, que permanecía inmóvil, estirado en toda su larga estatura.

–Baja un poco, que no llego.

Iñigo agachó la cabeza y, con la misma indolencia con que había fumado su cigarrillo un rato antes, dejó que la muchacha le metiera la lengua dentro de la boca.

Los pies de su madre producían al caminar sobre las baldosas del pasillo un sonido carnoso. Desde la cama la oyó venir y apagó la luz. Transcurridos dos o tres segundos, se abrió la puerta. Fuera también había oscuridad. Su madre tentó la pared hasta dar con el interruptor. Encendida la lámpara, se llegó al costado de la cama y mandó a Iñigo, en un tono no exactamente desabrido, pero tajante, que le hiciera sitio. El chaval, obediente, se corrió hacia el borde. Ella tomó entonces asiento junto a él, los dos con las piernas estiradas, los dos con la espalda apoyada en la cabecera de barrotes. Los pies de la madre, menudos, pálidos, llegaban apenas un palmo más abajo de las rodillas del chaval.

–¿Tienes previsto dejar de crecer algún día?

Para no mirar a su madre, Iñigo había vuelto la cabeza

hacia la pared. Parecía observar con atención un póster que mostraba al equipo completo de la Real Sociedad.

–¿Te ha contado el *aitona* que estás vivo de milagro? Por muy poco no nos mataron a los tres.

De un giro brusco, él reviró la mirada hacia su madre.

–¿Qué dices? Si pasó antes de nacer yo...

Ella posó las manos sobre el vientre cubierto por el delgado camisón, y haciendo como que se lo acariciaba, dijo:

–Aquí ibas.

–Eso no me lo ha contado el *aitona*.

–¿Qué te ha contado?

–Que al aitá lo mataron a tiros dentro de un coche. Lo del coche ya me lo habías dicho tú alguna vez, aunque me metiste la trola del accidente.

–Y que yo estaba sentada al lado del aitá, embarazada de cinco meses, ¿eso también te lo ha dicho? –Iñigo negó con la cabeza–. Pues como tú y yo ahora, amiguito. Codo con codo.

Así diciendo, dobló la pierna derecha y se subió la falda del camisón para enseñar el interior del muslo. Cerca de la ingle había un pequeño hoyo en la carne, de color pardo.

–Si me dan un poco más arriba, ahora no estaríamos tú y yo sentados sobre esta cama. No te lo vas a creer, pero en aquel momento no sentí la bala. Yo estaba toda regada de cachos de cristal. Me habían caído encima y algunos me pincharon en la cara. Igual pensé que lo del muslo había sido otro pinchazo. No estoy segura. Cuando me sacaron del coche, entonces sí, entonces ya me di cuenta de que me bajaba la sangre hasta el zapato. ¿Quieres saber más? ¿O sólo te interesa la foto de la Real?

Iñigo miró a su madre con ojos desconcertados.

–Hijo mío, me basta verte la cara para saber que he hecho lo que debía. No tienes más que fijarte en los hijos de las víctimas. Mira sus caras cuando las sacan en la tele o en los periódicos. Para mí que tienen todos las cejas tristes. Y eso es justo lo que yo no quería. Que mi hijo creciera con carita de pena. O que se sintiera huérfano cada vez que asesinaban a una persona, como si él fuera el hijo de todos los muertos. Si me entiendes, bien, y si no, también. Fin del sermón. Que duermas con los angelitos.

Hizo ademán de levantarse, pero Iñigo la sujetó con fuerza del brazo.

—Amá, no te vayas. Abrázame como tú sabes y cuéntamelo. Quiero saberlo. A partir de hoy quiero saberlo. Tengo derecho, ¿no? Casi me matan a mí también.

—¿Cómo quieres que te abrace con lo grandote que eres? Mejor pon aquí la cabeza.

Vestido como estaba, Iñigo se tendió entre las piernas separadas de su madre y apoyó una mejilla contra su vientre. Ella le apartó el flequillo; le pasó repetidamente la yema de un dedo por la ceja; le acarició la nariz, la oreja, la frente, el cuero cabelludo, mientras contaba con la mirada perdida en algún punto inconcreto del techo:

—Me consta que por lo menos un periodista describió el atentado en un libro, pero yo no he querido leerlo. Vino a preguntar. Era todo muy reciente y yo estaba en tratamiento. Él, a lo suyo. Era un pelma de cuidado. Llamaba por teléfono, molestaba a los *aitonas*, un día se me presentó aquí sin previo aviso. Aquello ya no lo pude aguantar. Me cabreé, le solté un par de palabras bastante feas, la verdad sea dicha, y no lo vi más. No sé de dónde sacaría información para su libro ni me importa. En fin, te lo digo por si te entra la curiosidad de leer. Como pasas tanto de libros... Eh, chaval, no te duermas.

—Amá, déjate de rollos. Cuéntame lo principal.

—El aitá estaba amenazado. Yo, ni idea. Me enteré después, cuando ya lo habíamos enterrado. Le insistieron para que llevase escolta. No quiso. Hubo quien le aconsejó que abandonara por un tiempo el País Vasco. Dicen que respondió que él era de aquí y que de aquí no se movía. A cabezota no le ganaba nadie. Por lo visto no se consideraba lo bastante importante como para que ETA malgastase con él munición. Hablaba euskera, tenía amigos nacionalistas..., seguramente no se imaginaba que alguien quisiera causarle daño. A veces recibía llamadas. Una tarde me puse yo al aparato. Que le diga al hijoputa de mi marido que se vaya preparando. Se lo conté. Quitó importancia al incidente. Trucos de imbéciles para que me entre canguelo y deje el puesto. Eso dijo. Y yo me lo creí.

—Al *aitona* lo despertó la ambulancia. Dice que oyó la sirena desde la cama y tuvo una corazonada.

—Él sabrá. Nosotros salimos por la mañana temprano de casa. Un jueves. Al aitá no le gustaba que yo condujera estando embarazada, así que desde hacía un tiempo me llevaba en su coche al trabajo. Subimos por la rampa del garaje y ahí nos dispararon, nada más llegar a la carretera. Había un coche que taponaba la calle, parado en segunda fila. Seguro que de ellos. El aitá pegó un bocinazo para que nos hicieran sitio y ése fue el último acto de su vida. Vi venir a uno con un jersey azul. Por la manera de acercarse, inclinando el cuerpo, pensé que nos quería preguntar algo. De frente también nos vino alguien. Eran dos. Al segundo le vi un momento la cara. Era una chica. Los cogieron pronto. Y sí, había una chica en el comando.

—Que todos conocemos.

—¿Cómo lo sabes?

–Es la del homenaje de esta tarde. Me lo ha dicho el *aitona*.

–Pues para que veas con qué gente vivimos en el barrio. Me suelo cruzar con su madre por la calle. Me mira como si yo le hubiera hecho algo malo. Un día fui a una manifestación. Allá estaba ella, en la acera de enfrente; ella y otros, llamándonos asesinos. ¿Te duermes?

–Sigue.

–Una cosa que no se me olvida es el silbido de las balas. Aquello no acababa nunca. Yo pensaba: Dios mío, que acabe ya, lo habéis matado, ¿qué más queréis? En realidad, la palabra silbido no es exacta. Después de catorce años, todavía llevo el ruido dentro de la oreja, pero no sé cómo explicarlo. Quizá chasquido. No sé. Debería consultar el diccionario.

Iñigo permaneció unos minutos en el portal, observando por entre las rejas del ventanuco de la puerta el revoltillo de gente que se dirigía a la plaza.

Tras despedirse de Bego, se había encaminado al frontón en busca de su cuadrilla. Por el trayecto llegaron a sus oídos las notas alegres de un acordeón. Procedían de la calle principal del barrio, no lejos de donde él se encontraba. Sin vacilar se dio la vuelta y corrió tan deprisa que alcanzó la bocacalle a tiempo de ver a Karmele a la cabeza de un nutrido grupo de personas que avanzaba a paso lento por la calzada. Bego caminaba junto a ella, las dos igual de sonrientes. De vez en cuando devolvían el saludo que algunos vecinos les mandaban desde los balcones.

A Karmele se le notaban los trece años y medio pasados en prisión. Su aspecto físico difería del que presentaba en los carteles que de tiempo en tiempo solían pegar sus conmilitones en las fachadas del barrio para recordar los sucesivos aniversarios de su encarcelamiento; a veces, también, para informar sobre medidas disciplinarias que le hubiesen aplicado, o sobre traslados forzosos, o sobre huelgas de hambre, o para pedir su libertad. Los años transcurrían, pero la foto era siempre la misma: una foto en blanco y negro que mostraba el rostro de una mujer joven de melena oscura, pómulos salientes y mirada inexpresiva. Karmele llevaba ahora el pelo corto; se le veía mayor, con los hombros hundidos y, sobre todo, más gruesa.

Por delante de Karmele y Bego, abriendo la marcha, iban dos niñas de corta edad ataviadas con trajes regionales. Entre ellas caminaba, dale que dale, la chica del acordeón. A espaldas de las hermanas, una nutrida hilera de manos sostenía una ikurriña de grandes dimensiones cuyos extremos había que recoger de continuo por causa de los coches estacionados y de los arbolillos y farolas que se levantaban de trecho en trecho en el borde de las dos aceras. En el centro de los que llevaban la bandera iban la madre de Karmele, con el cuello estirado, el padre y, detrás del padre, el abuelo, con boina y gesto mustio. Seguía un grupo de unas doscientas personas, en su mayoría caras conocidas del barrio.

Iñigo se incorporó a la parte delantera de la manifestación. Desde el primer momento participó en el coro de voces que tan pronto vitoreaban a Karmele como entonaban consignas en favor de la amnistía, de la prosecución de la lucha armada y contra el partido político entonces gobernante. Apenas llevaría recorrido un centenar de metros cuando se percató de que a su derecha, a pocos pasos, había un grupo de jóvenes que no le quitaban los ojos de encima. Murmuraban entre ellos sin disimulo y, en esto, comenzaron a ponerle mala cara y a señalarlo abiertamente. Iñigo, como los conocía de vista y a algunos también de nombre, les hizo un saludo con la mano. Parece ser que se lo tomaron a mal, pues al instante uno de ellos enderezó hacia el muchacho y, tras obligarlo a parar cerrándole el paso, lo conminó a marcharse. Iñigo preguntó en tono afable por qué se tenía que ir, hasta se identificó como amigo de la hermana de Karmele; pero todo lo que consiguió fue que el mocetón lo amenazara con partirle la cara si no se largaba de inmediato. La casa de sus *aitonas* estaba allí junto. Iñigo se metió a toda pastilla en el portal y se quedó a mirar por el ventanuco cómo terminaba de pasar el resto de la gente.

Las manos en los bolsillos, subió en el ascensor al piso de los *aitonas*. Después de llamar varias veces al timbre, como no le abrían usó la llave que le había dejado su madre. El *aitona* estaba solo, sentado en su silla de ruedas delante del televisor.

–Joé, *aitona*. ¿No has oído el timbre?

–¿Eh?

–¿Que si no me has oído llamar?

–Pues claro que te he oído llamar. Lo que pasa es que con este trasto me cuesta mucho cruzar el pasillo. Ésas no han vuelto todavía.

–¿Qué ves?

El *aitona* le tendió el mando.

–Una bobada de película. Si quieres poner otra cosa... –Iñigo empezó a pasar canales y se decidió por uno de música para jóvenes–. ¿Qué es ese jaleo que suena ahí abajo?

–Si quieres te saco al balcón y miras.

–Bueno, igual así me entretengo.

Iñigo empujó la silla de ruedas hasta el balcón. Tras colocar al *aitona* junto a la barandilla, de cara al quiosco de la plaza atestada de gente, apretó el freno y volvió a la sala. Desde la calle subía un ruido de aplausos, de aclamaciones y silbidos alternados con ráfagas de una voz chillona salida de un megáfono. Iñigo se levantó del sofá para cerrar la puerta del balcón; de nuevo en su asiento, elevó el volumen de la música hasta cubrir por completo la bulla del exterior.

Atento a la pantalla, le costó varios minutos darse cuenta del mal trago que estaba pasando el *aitona* en el balcón. El viejo intentaba en vano girar la silla de ruedas. Comenzó a sacudir la cabeza y a hacer gestos ostensibles con la mano. En vista de que el nieto no respondía, optó, en su desesperación, por alargar un brazo hacia atrás en busca de los vidrios de la puerta. La distancia le impedía llevar a cabo el propósito, de forma que su puño tembloroso no hacía sino golpear angustiosamente el aire. Una y otra vez pronunciaba el nombre de Iñigo; pero éste, en aquellos momentos, sólo tenía oídos para la música de la televisión, puesta a muy alto volumen.

Pasado un rato, el muchacho volvió por casualidad la mirada hacia el balcón. Reparó entonces en los extraños aspavientos que hacía el *aitona* de espaldas a la puerta y fue a preguntar qué le pasaba.

—Tu pobre *aitona*...
—Yo pensaba que le había dado un ataque y que se ahogaba. Joé, salgo y lo pillo con la cara llena de lágrimas. *Aitona*, ¿qué tienes? Yo, acojonado. Nunca había visto llorar al *aitona*. El hipo no le dejaba hablar. Abajo, en la plaza,

todo dios cantando el *Eusko gudariak*. ¿Te meto dentro, *ai-tona*? Me dice que sí con la cabeza. Pues venga, vamos. Agarro la silla de ruedas y los dos para adentro.

Iñigo hablaba con un costado de la boca pegado al vientre de su madre, que seguía acariciándole los cabellos.

—Y entonces, en la sala, con la emoción y todo eso, te ha contado lo del aitá.

—Primero me ha pedido que le *traería* de la cocina un frasco de pastillas. Se ha tomado dos o tres con agua que también me ha hecho llevarle.

—¿Unas pastillas azules?

—No me acuerdo. Lo único que te puedo decir es que después de tragarlas parecía más tranquilo. Me dice: apaga la tele y llévame a la ventana de mi dormitorio. Luego, en el pasillo: que si lo había hecho queriendo. Queriendo, ¿el qué? Dejarlo solo en el balcón mirando aquella sinvergonzada. Vuelta a llorar, pero ahora suave, suave. Lo pongo al lado de la ventana, con la cortina hasta la mitad para que nadie nos *vería* desde la calle. A ése de la boina, dice, le salvé yo la vida en el 36.

—¿De quién hablaba?

—De Kinito, el abuelo de la etarra esa, de la Karmele. El *aitona* me ha contado una batallita. Que si los nacionales ya estaban en Irún, que si muchas casas ardían. Él y un amigo aguantaron hasta lo último. Esperaron a que se *haría* de noche para pasar a Francia. El amigo salió a mirar, le dieron y ahí se quedó. Entonces el *aitona* saltó por una ventana y se fue de la ciudad y se encontró a Kinito tirado en la carretera con la pierna rota. Se había quedado solo, sin poder moverse y, según el *aitona*, llorando como un crío. Los dos tenían dieciocho años. Bueno, pues el *aitona* cargó con Kinito al hombro como si *sería* un saco y pasó con él a nado el Bidasoa. Mira, Iñigo, mira cómo no se atreve a mirar para aquí, me dice el *aitona*. Se le debería caer la cara de vergüenza. Yo le salvé a él, el 4 de septiembre, nunca lo olvidaré y él tampoco lo habrá olvidado. ¡Yo le salvé, yo! Le podía haber dejado allá donde estaba, bien jodido que estaba, para que lo *fusilarían* los requetés. Pero me lo eché al hombro, y su nieta estuvo con los que mataron a José Manuel.

–¿Eso te ha dicho?

–Eso me ha dicho. Y después me ha contado lo otro.

–Tu pobre *aitona*...

–Dice que no hay que ser como ellos. Que si se entera de que me meto a hacer daño a alguien prefiere que no le hable. Que eso es terrorismo. Que ojalá *habría* Dios para castigarlos.

–Tu pobre *aitona*... –A Iñigo se le cerraban los ojos–. Te estás durmiendo, chaval.

La madre se levantó de la cama, desvistió al hijo y lo ayudó a ponerse el pijama. Iñigo se dejaba hacer. Una vez acostado, su madre lo arropó con la manta y, a tiempo de desearle las buenas noches, apartándole el flequillo le dio dos besos en la frente.

–Uno, dos –susurró como de costumbre.

–Oye, amá, ¿por qué siempre me das dos besos y los cuentas?

–Uno es mío, el otro de quien nunca te pudo besar.

Iñigo entreabrió los ojos para mirar un instante, desde el fondo de su cansancio, a su madre.

–¿Sabes que eres muy guapo? –dijo ella con una leve sonrisa.

–Amá, joé, no empieces. Mira la hora que es.

–Pues lo eres y no lo digo porque sea tu madre.

200

A continuación, ella se dirigió a la puerta. Apagada la luz, preguntó desde el umbral:

–¿Se te siguen declarando las chavalas?

Iñigo tardó varios segundos en responder:

–Algunas.

–¡Menudo problema escoger entre tantas!

–Problema, ninguno, porque ya he escogido.

–¿Ah, sí? ¿Puede saberse cómo se llama la afortunada?

–¿Para qué quieres saberlo?

–¡Hombre, soy tu madre...!

–Si te lo digo, ¿me dejarás dormir?

–Te lo prometo.

–Bueno, se llama Asun, y ahora cierra la puerta, haz el favor.

Después de las llamas

Faltaban unos pocos minutos para que dieran las diez de la mañana.

En la habitación había dos camas con la cabecera adosada al tabique; en medio, una cortina que, cuando estaba corrida, dejaba en penumbra al enfermo más cercano a la puerta. Éste era un hombre pequeño de edad avanzada, de ojos saltones y pelo canoso cortado a cepillo.

El otro se llamaba Eusebio. Era un señor metido en los cincuenta, de rostro colorado, mofletudo, de cuerpo robusto y calva lustrosa en la que reverberaba la luz del exterior.

En aquel instante, la posición del somier le permitía estar sentado con la espalda reclinada sobre la almohada.

Una enfermera joven le cambiaba el vendaje de las piernas bajo la mirada atenta de Martina, su mujer. Martina ocupaba una silla en el hueco que quedaba entre la cama y la ventana. Le colgaban del cuello unas gafas unidas por el extremo de las patillas a un cordel. De vez en cuando se abanicaba con una revista de pasatiempos.

ENFERMERA: Si te duele avisa para que te afloje la venda.

EUSEBIO: Un poco sí que duele.

ENFERMERA: ¿En esta pierna?

EUSEBIO: En la otra, en la que me has curado antes.

MARTINA: No hagas caso. Éste lo que quiere son mimos. En casa es igual. No para nunca de quejarse.

EUSEBIO: Pues me duele.

MARTINA: Pues te aguantas.

EUSEBIO: Si te *dolería* a ti ya veríamos cómo te quejabas.

Los tres volvieron la mirada hacia la puerta, en la que acababan de sonar unos golpes de nudillo. Un hombre de unos treinta años, alto y con coleta había entrado en la habitación. Llevaba un estuche negro colgado en bandolera.

FOTÓGRAFO: *Kaixo.* ¿Está aquí el señor que se quemó en el Boulevard?

MARTINA: No se quemó. Lo quemaron. *(Y señalando a su marido con una sacudida de cabeza, añadió en tono burlón.)* Aquí tienes al famoso.

FOTÓGRAFO: Vengo a sacar unas fotos. Es un minutito.

MARTINA: ¿De parte de quién?

FOTÓGRAFO: Trabajo para *El Diario Vasco.*

MARTINA: Ah, bueno.

A Eusebio no parecía despertarle interés la presencia del fotógrafo. Toda su atención la acaparaban las manos laboriosas de la enfermera, que ahora le estaba vendando un pie. El vendaje le llegaba hasta justo debajo de las rodillas, formando en ambas piernas una especie de medias infladas de color blanco. Una rodilla la tenía cubierta por una malla elástica, también blanca. Surcos aprensivos cruzaban su frente. A veces tragaba un suspiro, como tratando de refrenar una ráfaga repentina de dolor.

MARTINA: Ya será para menos.

EUSEBIO: Hala, calla, calla.

El fotógrafo se afanaba en cuclillas por acoplar las piezas de su cámara, que iba extrayendo del estuche depositado en el suelo.

ENFERMERA *(con ostensible severidad):* A mí no me saques en las fotos. Ni de frente ni de espaldas.

FOTÓGRAFO: Sólo quiero fotos de él.

MARTINA *(contrariada):* Entonces, ¿me tengo que quitar de aquí?

FOTÓGRAFO: Pues sí, señora. Si hace usted el favor...

Eusebio vestía solamente una chaqueta de pijama y un calzoncillo. Su mujer le arrojó una toalla a los muslos pilosos.

MARTINA: Anda, tápate. Serías capaz de salir con esa pinta en el periódico.

FOTÓGRAFO: Las piernas se tienen que ver, ¿eh?

MARTINA: Vale, que se vean. Pero lo otro no creo que haga falta.

ENFERMERA: Pues es una pena, porque tienes un marido la mar de erótico.

MARTINA: ¿Erótico éste? ¡Jesús, María y José! Chica, no me hagas reír. Si tanto te gusta, te lo regalo.

ENFERMERA: Tampoco es eso, mujer. Te lo cambio por mi novio, aunque igual salías perdiendo. ¿Tú qué opinas, Eusebio?

EUSEBIO: ¿Yo? Pues que estoy aquí jodido y vosotras pasándolo en grande a mi costa. Eso es lo que opino.

Cerca de los pies de la cama, el fotógrafo hacía probaturas buscando el mejor ángulo, midiendo en cada nueva posición el grado de luminosidad.

FOTÓGRAFO *(a la enfermera):* Termina tranquila el venda-je. Me interesan sobre todo unas tomas en escorzo. O sea, las vendas delante, luego la cara y al final el tabique. Esa cortina, ¿se puede correr?

MARTINA: Para eso está.

FOTÓGRAFO: Es que, si no, ese señor se me mete en la imagen.

MARTINA: ¿Le importa a usted?

EL OTRO ENFERMO: Por mí...

Martina complació al fotógrafo. El otro enfermo, tendido en su cama con la sábana hasta la barbilla, quedó aislado en su parcela, fuera de la vista de los demás.

EL OTRO ENFERMO: Enfermera, ¿qué hay de mi *indición?*

ENFERMERA: Ahora no puedo.

EL OTRO ENFERMO: Ayer ya me la habías puesto para estas horas, pues.

ENFERMERA: Un poco de paciencia. Todo no lo puedo hacer al mismo tiempo.

EL OTRO ENFERMO: Bueno, pero me la pones tú. Con la otra chica duele más.

Terminada la cura, la enfermera se puso a recoger los utensilios.

FOTÓGRAFO: Oye, ¿sabes a qué hora viene el lehenda-kari?

ENFERMERA: Ni idea.

MARTINA *(con gesto de alarma):* ¡No me digáis que viene Ibarretxe a ver a mi marido! ¡Ay, Dios, y yo con estos pelos! ¡Nos podían haber avisado!

ENFERMERA: No te apures, Martina. Tienes tiempo de arreglarte. Me imagino que el lehendakari pasará primero por la planta donde están los dos ertzainas. Lo único que nos han anunciado es que en algún momento del día visitará a los heridos en los enfrentamientos de anteayer.

FOTÓGRAFO: Joé, a mí me hace polvo. Aún tengo que sacar fotos de la Casa del Pueblo de Rentería, que la han vuelto a destrozar. Oye, si corre la voz de que el lehendakari está para llegar me avisas, ¿eh?

ENFERMERA: Descuida.

FOTÓGRAFO: ¿Te importa que te deje mi número de móvil? Ando en moto, así que si me dieras un toque vendría echando virutas.

EL OTRO ENFERMO: Y mi *indición*, ¿qué?

ENFERMERA: Enseguida vuelvo.

EL OTRO ENFERMO: No me mandes a la otra. A ésa, ni en pintura.

La enfermera se metió en un bolsillo de su chaqueta el papelito que le había tendido el fotógrafo y salió de la habitación. Mientras tanto, Martina, en cuya cara se traslucía una viva inquietud, había hecho desaparecer la balumba de objetos que cuajaban el tablero de la mesilla. Después se dio prisa en arreglar la cama de su marido, a quien obligó a echarse a un lado. Como por lo visto el hombre no se movía con la debida rapidez, lo empujó sin contemplaciones a fin de sacarle de detrás del cuerpo la almohada, que ahuecó sacudiéndole unos recios manotazos. Por último sopló hacia el suelo algunas migas del desayuno esparcidas sobre la sábana.

MARTINA: ¡Qué faena! Y tú, chaval, ¿cómo sabes que viene Ibarretxe?

FOTÓGRAFO: Pues porque lo ha declarado él mismo esta mañana a los medios.

MARTINA: ¿Qué ha declarado?

FOTÓGRAFO: Lo de siempre, señora. Que condena la violencia, que las vascas y los vascos desean la paz y que va a visitar a los heridos. De todos modos, no se haga usted demasiadas ilusiones. Si viene será para decir hola y adiós.

MARTINA: Yo con estos pelos y esta ropa no lo recibo. *(Se volvió a Eusebio.)* Y a ti habría que afeitarte mejor. El lehendakari va a pensar que eres un mendigo.

EUSEBIO: Lo que piense ese señor me trae sin cuidado. Yo soy socialista de toda la vida, como mi difunto padre, que no fue de los que se rindieron en Santoña.

MARTINA: Eusebio, como me hagas pasar vergüenza te acuerdas. Ya me conoces.

EUSEBIO: ¡Joder que si te conozco! ¡De sobra!

FOTÓGRAFO: Por mí, cuando quieran. Estoy listo.

MARTINA: Ni se te ocurra montar un numerito delante del lehendakari, ¿estamos? Saludas con respeto y si te pregunta algo le respondes. Tengo que abrir la ventana. Aquí huele a cerrado.

FOTÓGRAFO: Señora, si abre la ventana me cambia usted la intensidad de la luz.

MARTINA: Aquí hay que ventilar.

EUSEBIO: Ventilar ni leches. ¡Con el calor que hace ahí fuera!

MARTINA *(se tapó la nariz con los dedos, al tiempo que señalaba con la cara en dirección al otro enfermo, oculto tras la cortina)*: Hay cosas peores que el calor. *(Dejó la ventana como estaba. Refunfuñando, se colocó detrás del fotógrafo.)* Vete tú a saber si Ibarretxe te ofrece una *idenización* en nombre del Gobierno Vasco.

EUSEBIO: Te falta un tornillo.

MARTINA: No nos vendría nada mal una ayudita. Podríamos cambiar la cocina. *(Se dirigió a continuación al fotógrafo, que ya estaba disparando con la cámara.)* ¿Tú trabajas mucho con manifestaciones y atentados?

FOTÓGRAFO: Bastante.

MARTINA: ¿Sabes si a éste le van a dar dinero?

FOTÓGRAFO: Luego vendrá un compañero del periódico a hacerle una entrevista a su marido. Usted pregúntele. Es un tío muy enterado.

EUSEBIO *(al fotógrafo):* ¿Sonrío o qué?

FOTÓGRAFO: Como quiera.

MARTINA: No pongas esa cara de bobo.

EUSEBIO: La que tengo.

MARTINA: Si sonríes, ¿cómo va a creer la gente que eres una víctima? Y de paso deja de sacar la mandíbula, que pareces un orangután. Este hombre me pone negra. En casa tenemos un montón de fotos estropeadas por la maldita mandíbula. En cuanto ve una cámara, zas, saca esa quijada de caballo. ¿No puedes estar normal?

FOTÓGRAFO: Ya he terminado. Y ahora, a Rentería. ¡Menudo día me espera!

EUSEBIO: Mucho trabajo, ¿eh, joven?

FOTÓGRAFO: Todo lo que le diga es poco.

MARTINA: Ya procurarás que se publique una foto en la que mi marido esté más o menos presentable. Por favor, no una en la que le cuelgue la mandíbula. Ya te figurarás cómo son los parientes y vecinos.

FOTÓGRAFO: No se preocupe, señora. Tenemos nuestra ética. Bueno, agur. *(A Eusebio.)* Que se cure usted pronto.

MARTINA: Y tú que lo veas.

No bien se hubo marchado el fotógrafo, Martina abrió la ventana de par en par. Enfrente, un ala del hospital precedida de un estrecho patio interior se comía todo el paisaje. Ni campo ni cielo podían verse desde la habitación de Eusebio; tan sólo aquella fachada en cuya parte superior, a media mañana, ya pegaba con fuerza el sol del verano.

MARTINA: Que entre el aire.

EUSEBIO: Me voy a tostar.

MARTINA: Las diez y veinte. ¿Qué hago? ¿Tú crees que me da tiempo de ir a la peluquería?

EUSEBIO: Que sí, mujer. Si viene Ibarretxe ya le diré que te espere.

MARTINA: Eusebio, no estoy con ánimo de bromas.

EUSEBIO: No te vayas sin dejarme unas monedas para el televisor.

MARTINA: De eso, nada. Las necesito para llamar por teléfono a la hija y al chaval. *(Lanzó una mirada cargada de reproche hacia la cortina.)* No eres el único que mira aquí la tele.

EUSEBIO: ¿Por qué no llamas desde aquí?

MARTINA: Ahora no hay nadie en casa.

EUSEBIO: La hija estará citada por la tarde. ¿A que no lo habías pensado?

MARTINA: Me tiene que traer de casa la cámara de vídeo porque yo quiero que alguien me filme con el lehendakari. ¿Cuándo se me va a presentar otra oportunidad? Y de paso que traiga el ambientador y, si es posible, que te afeite.

EUSEBIO: Y yo sin televisión.

MARTINA: Por un día puedes aguantar. Y hablando de aguantar, si te vienen aires ya sabes.

212

EUSEBIO: ¿Qué sé? ¿Cómo voy a ir con las piernas vendadas al cuarto de baño?

MARTINA: Te pones un corcho.

EUSEBIO: Pues mira por dónde, en cuanto entre Ibarretxe por esa puerta me voy a tirar un pedo.

MARTINA: Tú, capaz.

EUSEBIO: Pero uno de campeonato que va a poner en guardia a su escolta, fíjate lo que te digo.

MARTINA: Hala, cierra el pico, que es como mejor estás. *(Sacó el bolso del armario y se dirigió a la puerta, dispuesta a marcharse. En el umbral se volvió.)* No olvides preguntarle al del periódico lo de la *idem...*, *imde...*, ¡si lo diré!, lo del dinero. ¿Por qué no te lo escribes en la mano para que no se te olvide? Si te van a dar algo, pregúntale cuánto suele ser y si hay que declararlo a Hacienda.

Ausente Martina, Eusebio buscó en vano a su alrededor la revista de pasatiempos. Su mujer debía de haberla escondido cuando puso orden encima de la mesilla. Sin posibilidad de levantarse de la cama y a falta de otra ocupación, estuvo él un largo rato mirando lo poco que se podía ver por la ventana. A veces llegaban hasta su reducido campo visual unas volutas de vapor que se disipaban al instante; salían por unos tubos de la lavandería situada en la planta baja del edificio de enfrente.

Vino a eso de las once la enfermera a ponerle una inyección al otro enfermo. Antes que saliera de la habitación, Eusebio le pidió que cerrase la ventana, a lo que ella accedió gustosa.

EUSEBIO: ¿Algún rastro del lehendakari?

ENFERMERA: Por ahora, nada.

EUSEBIO: ¡Qué poco fundamento! Aquí está uno esperando todo el santo día.

ENFERMERA: ¿Tenías previsto ir hoy a algún sitio?

EUSEBIO: Bueno, a mí que me avisen con tiempo. No quiero que Ibarretxe llegue de golpe y me pille sentado en la bacinilla.

ENFERMERA *(desde la puerta, con un pie en el pasillo):* Tranquilo, Eusebio, porque eso no va a ocurrir. Seguro que el lehendakari visitará primero a los ertzainas heridos. Compréndelo, son sus ertzainas. La ventaja es que así tendrás unos minutos para prepararte.

Se quedaron Eusebio y el otro enfermo solos en la habitación. La cortina corrida entre las dos camas les impedía verse el uno al otro.

EUSEBIO: ¿Qué, le ha dolido a usted el pinchazo?

EL OTRO ENFERMO *(luego de varios segundos de silencio, como si vacilara en responder):* Con la otra chica es peor. Con ésta, aún aguanto.

EUSEBIO: A mí mañana o pasado me sueltan. A usted, ¿le queda mucho?

EL OTRO ENFERMO: Yo, de aquí, al cementerio.

EUSEBIO: ¿Tan pachucho está? Pues se le oye una voz muy normal.

EL OTRO ENFERMO: Me tienen vivo con las *indiciones*. Pero yo, a Navidad, no llego. Ya se lo he dicho a la parienta: arregla papeles y hostias, que me voy. Éstos se creen que soy tonto, que no me doy cuenta. Lo mío es cáncer y me muero. Igual me muero hoy.

EUSEBIO: ¿Tiene usted dolores?

EL OTRO ENFERMO: ¿Dolores? Yo no necesito. Yo sé lo que hay dentro. Me operaron pronto hará un mes. Y aquí sigo. Me han dejado tirado en la cama para que me muera.

214

Y me muero, pues. Me apuesto una vaca a que me muero.

EUSEBIO: ¿De qué le operaron?

EL OTRO ENFERMO: De las tripas. Me quitaron un cacho. Pero el cáncer lo han dejado dentro.

EUSEBIO: ¿Tenía usted un tumor? Porque si tenía usted un tumor y se lo han quitado, a lo mejor se cura.

EL OTRO ENFERMO: ¡Yo qué sé lo que tenía! Delante *mío*, los médicos y las enfermeras andan *txutxu-mutxu* todo el rato. Y cuando alguien me explica, no hay dios que entienda las palabras.

EUSEBIO: Peor sería si *tendría* usted voz de pito. A los mayores, cuando se van a morir de una enfermedad grave, primero se les pone voz de pito.

EL OTRO ENFERMO: Ah, pues igual las *indiciones* son para la voz.

EUSEBIO: Está usted muy a oscuras en ese rincón. ¿No quiere correr la cortina? Yo es que con estas vendas no me puedo mover.

EL OTRO ENFERMO: No, deje, deje.

EUSEBIO: Hace un día impresionante ahí fuera. Estará la playa hasta los topes. A mí no es que me guste la playa, pero *(pasó una rápida mirada por el techo y las paredes)* ¡mejor que esto...!

EL OTRO ENFERMO: Oiga, usted deje la cortina así hasta que se *haiga* ido Ibarretxe.

EUSEBIO: ¿No quiere usted verlo?

EL OTRO ENFERMO: La cortina quieta, ¿eh?

Eusebio se encogió de hombros aunque el otro no podía verlo. La conversación quedó suspendida durante cerca de un minuto. Llegaba desde el pasillo, a través de la puerta cerrada, el ruido habitual de voces y pisadas.

215

EL OTRO ENFERMO *(de repente):* No sé si vendrá la parienta porque anda sola con los animales y la huerta. Si viene me hacen ustedes un favor, ¿eh? Su señora y usted. No hablar de política. Ni una palabra.

EUSEBIO: ¿Y eso?

EL OTRO ENFERMO: Es que mi mujer y su familia son todos muy vascos. Demasiado. Lo llevan en la sangre.

EUSEBIO: Mire, aquí donde me tiene, soy nacido en Hernani.

EL OTRO ENFERMO: Bueno.

EUSEBIO: Mi difunta madre me tenía dicho que hasta los cinco años no aprendí el castellano.

EL OTRO ENFERMO: Normal.

EUSEBIO: Tengo apellidos vascos para llenar yo solo el listín de teléfonos. Y mi Martina es de Azpeitia y todos los años hace queso en casa, que una vez hasta ganó un concurso. En Tolosa, ¿eh?, no en cualquier sitio. ¡A ver quién nos gana a vascos!

EL OTRO ENFERMO: Mi parienta tiene mucho arranque.

EUSEBIO: ¡Pues mire que la mía!

EL OTRO ENFERMO: En casa, ella suele matar el *txerri.* Dice: quita, quita. Ahí se queda, pues. Yo me voy a segar al monte. Al de un minuto el *txerri* ya se ha callado.

EUSEBIO: La mía al que mata es a mí. Todos los días. A todas horas.

EL OTRO ENFERMO: La parienta estará poco. Sola en casa, mucho no se puede quedar. Por eso pido: si *podrían* dejar un ratito el tema político... Si hablan de otra cosa ella es maja, ya verá. En misa siempre da limosna. Pero cuando hay manifestación en el pueblo, ahí va la primera.

Poco después del mediodía, entró en la habitación un hombre de treinta y tantos años, flaco y pálido, con la frente salpicada de gotas de sudor, con unas gafas extravagantes de montura rosada. Una enfermera, que por lo visto lo había conducido hasta allí, le abrió la puerta. Tras dejarlo pasar, la cerró a sus espaldas no sin antes indicarle que el paciente de la cama más próxima a la ventana era la persona a quien estaba buscando.

El hombre se acercó a Eusebio con la mano tendida. Resonaba en su respiración un atisbo de jadeo, como si no hubiera terminado de recuperarse de una fatiga reciente. A un tiempo se presentó, estrechó la mano de Eusebio y tomó asiento al costado de su cama, sobre la que colocó una pequeña grabadora.

PERIODISTA: Muévase lo menos posible para que no haya ruidos raros en la cinta. ¿Empezamos?

EUSEBIO: Me parece que sería mejor esperar a mi mujer.

PERIODISTA: ¿Para qué? ¿También a ella le pilló la violencia callejera?

EUSEBIO: No, digo...

PERIODISTA: Usted concéntrese en las preguntas. Dé respuestas cortas y claras. No se me vaya por las ramas, ¿eh? Piense que dispongo de poco tiempo. En realidad, tendría que estar ahora en otro sitio. Bueno, a ver, ¿cómo pasó?

EUSEBIO: Pues a mí me gusta mucho pescar.

PERIODISTA: Concrete.

EUSEBIO: Oye, yo te lo cuento como me sale. Luego tú lo escribes a tu gusto.

PERIODISTA: Vale, pero no se enrolle con detalles superfluos porque me quedan como quince minutos de cinta.

EUSEBIO: Hacía una tarde de postal. ¡Un solazo...! Esto fue el viernes. Después del trabajo me fui a pescar al Paseo

Nuevo, donde termina el río, con un amigo. Iba a ir solo para gastarme los *chicharis* de la víspera, pero, bueno, fuimos juntos. Mi amigo llevó a su sobrino, un chavalillo de doce años. De doce o trece, no estoy seguro. Da igual.

PERIODISTA: Pasemos a los hechos relevantes.

EUSEBIO: Serían las ocho. Recogimos los aparejos y las cañas, y vuelta para casa con la cena. Les gané 14-13.

PERIODISTA: ¿Cómo que 14-13?

EUSEBIO: Joé, que yo pesqué catorce peces y ellos, trece.

El periodista se quitó un instante las gafas para pasarse, impaciente, la mano por los párpados.

PERIODISTA: ¿Quiere usted que publique eso?

EUSEBIO: Ah, tú sabrás.

PERIODISTA: Siga.

EUSEBIO: Veníamos los tres del Paseo Nuevo, tranquilos. Al llegar al Boulevard, ¡ahí va Dios!, había un autobús ardiendo en medio de la carretera. Subía humo negro hasta las casas, que menos mal que no vivo ahí. Esa gente tiene que estar hasta el moño de líos y manifestaciones. La Ertzaintza andaba dale que te pego por los jardines. Pum, pum, se oían las pelotas de goma. Enfrente, una manada de chavales. Tiraban piedras y todo lo que agarraban, y cuando los ertzainas iban a por ellos, los muy cucos se metían corriendo en la Parte Vieja. ¡Cualquiera los persigue por esas callejuelas! Eran chavales de estos que llevan un pañuelo delante de la boca. Otros tenían la cara tapada con una capucha, que parecía que iban a robar un banco. Yo, mi amigo y su sobrino nos fuimos por un lado para no meternos en el jaleo. Estábamos para pasar la calle, a la altura del nuevo mercado de la Brecha. Entonces oí un ruido al lado de los talones.

PERIODISTA: ¿Qué clase de ruido?

EUSEBIO: Una botella que se rompía. Me volví. Hostia, al sobrino de mi amigo se le estaba quemando el pantalón. Unas llamas así de largas, no te exagero. Fui a ayudarle. Estaba el pobre crío llorando, parado allí con una cara de miedo que no veas. Y en esto, mecagüenlá, ¡yo también estaba ardiendo! No me di cuenta hasta que me miré los pies. Le grité a mi amigo. En ese momento me daba igual quemarme. Pero no el chaval, me decía. Es demasiado joven para esto. Me arranqué la camisa de un tirón. Salieron los botones volando. Con la camisa envolví al chaval. Así le apagué el fuego. De repente noté que me tiraban al suelo. Mi amigo y un ertzaina. Esto es peor de lo que pensaba, me dije. Porque yo, al principio, no sentí ningún dolor. Olía la gasolina, eso sí. Entre los dos, yo no sé cómo, apagaron el fuego de mis piernas. El pantalón me colgaba a tiras negras, quemadas. Los zapatos, ni te cuento. ¡Joder, cómo me escocía! Dentro de lo que cabe tuve suerte, ¿eh? Me podía haber asado vivo. Y luego te preguntas: ¿por qué yo? ¿Qué tengo yo que ver con todo este cisco?

PERIODISTA: Bien, bien. Dejemos las interpretaciones para otra ocasión. Cuénteme en pocas palabras cómo fue el traslado al hospital.

EUSEBIO: Lo primero de todo nos metimos en una cafetería de la calle Legazpi, donde se portaron de maravilla. Que no se te olvide escribir esto: de maravilla. Allí esperamos a la ambulancia. Mientras, en la cocina, me dejaron meter los pies en la fregadera llena de agua fría, que luego el médico ha dicho que fue lo mejor que pudimos hacer. En algunos sitios las piernas estaban en carne viva.

PERIODISTA: Antes me han puesto al corriente del diagnóstico. Siga mejor con lo de la cafetería.

EUSEBIO: Pues nada, que en cuanto me den el alta le voy a regalar una tarta a cada empleada porque se la merecen. Me ayudaron, me estuvieron animando, me dieron de beber. En fin, unas personas excelentes, empezando por la dueña, que no se apartó ni un momento de mi lado. Todavía estará mi caña en la cafetería. Y la cesta con los peces, podridos si no los han sacado. Había una lubina bastante hermosa. Al poco rato vino la ambulancia. No tardó mucho. Eso también quiero que lo pongas. Muy atentos los sanitarios, profesionales como la copa de un pino. Yo vine tumbado. Mi amigo y su sobrino también venían dentro. El chavalillo, aparte del susto, no tenía gran cosa. La ropa con agujeros y las cejas chamuscadas. Un poco por quitarle el miedo y para que no se *preocuparía* por mí vinimos su tío y yo hablando de fútbol en la ambulancia. La peor parte me la había llevado yo. Sobre todo en la izquierda, por detrás. Cada vez que me curan veo las estrellas, aunque menos mal que no ha habido que hacer injertos. El médico dice que esté tranquilo. Que me quedarán marcas y nada más.

PERIODISTA *(apagando la grabadora):* Creo que es suficiente. ¿Ya ha venido el fotógrafo?

EUSEBIO: Sí, esta mañana.

PERIODISTA *(se levantó de la silla):* Me largo a una rueda de prensa.

EUSEBIO: Algo quería yo preguntarte. ¿Qué era?

PERIODISTA: Supongo que lo mismo que me han preguntado la enfermera y el médico. Al lehendakari lo espera un almuerzo en Vitoria, así que el anunciado gesto de solidaridad con los heridos tendrá que ser por la tarde. Que se cure usted pronto y pueda volver a pescar.

220

EUSEBIO: ¿Pescar dices? Después de lo que me han hecho se me han ido para siempre las ganas de coger la caña.

PERIODISTA: Mejor para los peces.

EUSEBIO: ¿Cuándo sale la entrevista en el periódico? Por si pregunta mi mujer.

PERIODISTA: Mañana o pasado. No se lo puedo asegurar. Depende de si hay espacio. Saldrá poquito, ¿eh? No piense usted que... Bueno, agur.

El periodista salió de la habitación tan deprisa como había venido, la grabadora en una mano, pulsando con el pulgar de la otra las teclas de un teléfono móvil. A su marcha, olvidó cerrar la puerta.

EUSEBIO: ¿Duerme usted?

EL OTRO ENFERMO: No.

EUSEBIO: He estado un poquito nervioso. ¿Se notaba?

EL OTRO ENFERMO: Yo no he notado nada.

EUSEBIO: A mí no se me da hablar. No tengo costumbre.

EL OTRO ENFERMO: Yo, igual. Cuando llaman a casa coge la parienta. Ella se arregla.

EUSEBIO: Menos mal que no estaba aquí mi mujer. Ésa responde a todo en mi lugar. ¿Qué le parece a usted lo que me han hecho?

EL OTRO ENFERMO: Mala suerte.

EUSEBIO: Le podía haber tocado a cualquiera. Fíjese, le podía haber tocado al padre del que tiró la botella.

EL OTRO ENFERMO: Se ha olvidado usted preguntar.

EUSEBIO: Preguntar, ¿el qué?

EL OTRO ENFERMO: Lo de la *idenización*. Su mujer le ha dicho, pues.

EUSEBIO: ¡Me ca...! ¿Por qué no me ha avisado?

EL OTRO ENFERMO: Ya me he dado cuenta, pero ¡por no meterme!

EUSEBIO: ¡Buena la he hecho!

Eusebio se estiró cuanto pudo sobre la cama hasta alcanzar con la punta de un dedo el botón de llamada de la enfermera. Ésta entró de ahí a poco en la habitación.

ENFERMERA: ¿Qué ocurre?

EUSEBIO: Dile por favor al periodista que vuelva. Igual lo pillas todavía en el pasillo.

ENFERMERA: ¿Qué periodista?

EUSEBIO: El de las gafas rosas. Date prisa, por favor.

La enfermera asomó la cabeza fuera de la habitación.

ENFERMERA: No veo gafas rosas por ningún lado.

EUSEBIO: Si corres, igual lo alcanzas antes que salga a la calle.

ENFERMERA: Eusebio, ¿crees que me está permitido abandonar mi puesto de trabajo para correr detrás de un periodista?

EUSEBIO: ¡Ay, maja, buena la he hecho! ¿Qué le cuento yo ahora a Martina? Ya me podéis ir preparando un sitio en la UVI.

A la una menos cuarto, una auxiliar repartió como de costumbre las bandejas con la comida. Apenas hubo salido de la habitación, el otro enfermo empezó a refunfuñar.

EL OTRO ENFERMO: Esta papilla ni para un *txerri*.

EUSEBIO: Entonces, ¿por qué la pide?

EL OTRO ENFERMO: Sólo me dejan comida blanda. Si yo ya digo: me voy a morir pronto, *darme* chuletas con vino. ¡Qué hostias importa!

EUSEBIO: Estos tontolabas del periódico y el lehendakari de los cojones y mi mujer y la madre que los parió a todos me han roto la tranquilidad. No tengo ni gorda de hambre. ¿Quiere usted mis macarrones y el pollo empanado? Me como las natillas y voy que chuto.

EL OTRO ENFERMO: *¡Arraioa*, ya me gustaría, ya!

EUSEBIO: Pues venga para aquí, que yo no me puedo mover.

Descalzo y en pijama, el otro enfermo salió a toda prisa de su rincón. Ahora podía verse entera su figura esmirriada, de pecho hundido, de piernas flacas y torcidas. Primeramente hizo como que se dirigía al cuarto de baño, e incluso llegó a posar la mano en el picaporte. Permaneció varios segundos inmóvil en actitud expectante; luego dio un giro brusco, y volviendo varias veces la mirada hacia la puerta de la habitación, como temeroso de que lo sorprendieran en una fechoría, se llegó con pasos saltarines al costado de la cama de Eusebio, donde tomó asiento en la silla que allí estaba. Medio agazapado tras el cuerpo y el somier levantado de éste, se colocó sobre los muslos entecos el plato de macarrones y se puso a comer con avidez.

EUSEBIO: ¡San Dios, menudo apetito! Cuidado con dejarme manchas de salsa en la sábana, ¿eh? Bastantes problemas tengo ya. Échese un poco para atrás.

El otro enfermo se apartó lo más que pudo de la cama en el poco espacio que había entre ésta y la ventana, y, con la cabeza in-

clinada sobre el plato, siguió comiendo deprisa hasta despachar el último macarrón.

EL OTRO ENFERMO: El pollo, ¿también o qué?
EUSEBIO: Coma, coma. Pero con calma, hombre. ¡A ver si se va usted a atragantar!

El otro enfermo agarró el filete con diez dedos. Apenas necesitó media docena de bocados para hacerlo desaparecer dentro de la boca. Masticando a dos carrillos, fue a lavarse las manos en el cuarto de baño, de donde salió poco después para volver al instante con su bandeja de comida, cuyo contenido arrojó en el interior del inodoro. Ya más tranquilo, se acostó en su cama, dio las gracias a Eusebio y, resoplando de satisfacción, anunció que iba a echar la siesta.

EL OTRO ENFERMO: Antes había otro ahí. Ése no daba. *(Dicho esto, se tapó hasta la barbilla con la sábana y poco después se quedó dormido.)*

Transcurrió cerca de una hora. En ese tiempo, Eusebio hizo varios intentos por conciliar el sueño. No había manera. Cerraba los ojos, los abría, los volvía a cerrar. Finalmente desistió del propósito y se dedicó a mirar por la ventana con los brazos cruzados. Hacía calor. Del pasillo sólo llegaban ruidos leves, esporádicos.

En medio de aquel silencio de comienzos de la tarde, se abrió la puerta y entró en la habitación, con labios apretados y ojos furiosos, Begoña, la hija de Eusebio.

BEGOÑA: Aquí me tienes.

Begoña era una mujer metida en los treinta, de cabello corto y negro, con algo de la anchura y corpulencia de su padre, con los rasgos severos de su madre. Depositó en el suelo, al pie del armario, una bolsa de plástico; estampó un beso rápido en la mejilla de su padre y permaneció de pie con la espalda apoyada en el vidrio de la ventana.

EUSEBIO: ¿Por qué no te sientas?
BEGOÑA *(en tono cortante):* Así estoy bien.
EUSEBIO: ¿No habrás venido a echarme la bronca?
BEGOÑA: A ver.

Begoña llevaba un traje gris de chaqueta, con blusa blanca por debajo, una gargantilla de perlas y unos zapatos de medio tacón que, como todas las prendas de su atuendo, resultaban demasiado formales para lucirlos en un hospital y de todo punto inadecuados en un día caluroso como aquél.

EUSEBIO: Hija, qué elegante se te ve.
BEGOÑA: Ideas de la amá. Parecéis niños, ella y tú. Ella sobre todo. No se deja decir ni pío. ¡Anda con una ilusión! Y, claro, como te puedes figurar hemos discutido a cuenta del circo que estáis montando entre los dos.
EUSEBIO: Habla un poco más bajo, que aquí, el compañero *(apuntó con un dedo hacia la cortina),* está durmiendo la siesta. A mí no me digas nada. Yo no monto ningún circo. No tengo la culpa de que Ibarretxe quiera visitarme. No tengo la culpa de que unos gamberros me *quemarían* el otro día. No tengo la culpa de no poder ir a trabajar y no tengo la culpa de nada. ¿Has oído? De nada.
BEGOÑA: Un poco de culpa sí tienes.
EUSEBIO *(puso gesto de extrañeza):* ¿Yo?

BEGOÑA: Por dejarte sacar fotos para el periódico. ¿Es verdad que iba a venir uno de *El Diario Vasco* a entrevistarte?

EUSEBIO: Ya ha venido. Le he contado en cuatro palabras lo que pasó y adiós muy buenas.

BEGOÑA: ¿Ves como tienes culpa? Te van a sacar en la prensa con tu nombre y apellidos. Eso es una manera de señalarse. ¿No entiendes? A ETA ya sólo le falta buscar tu dirección en el listín de teléfonos e ir a por ti. ¡Qué ingenuo eres, aitá!

EUSEBIO: ¡Hala, exagerada, más que exagerada! ¿Qué coño le va a interesar a ETA un puto empleado de una imprenta?

BEGOÑA: Por trabajar en la imprenta claro que no les interesas. Pero sí por meterte donde no te llaman. Pones en peligro a toda la familia.

EUSEBIO: Pues ya es tarde para remediarlo, hija.

BEGOÑA: ¿Dónde tienes la máquina de afeitar?

EUSEBIO: En el armario. Vas a despertar a ese señor.

EL OTRO ENFERMO: Tranquilo. Ya no duermo.

Begoña encontró la máquina de afeitar en una de las baldas del armario.

BEGOÑA: ¿Ya ha estado el médico?

EUSEBIO: Ha venido muy pronto. Mañana o al otro, salgo. Luego ya sólo tendré que venir a hacerme las curas.

Sentado sobre la cama, con la espalda recta, Eusebio estiró el cuello y levantó la barbilla para que su hija lo afeitase sin dificultad. Ella le rebajó, además, las patillas con unas tijeras de uñas; le desarrugó lo mejor que pudo la chaqueta del pijama y, con ma-

nos que fue a mojarse en el grifo del cuarto de baño, le alisó el poco pelo que el hombre tenía alrededor de la calva.

BEGOÑA: Mis amigas creen que te diste un trompazo en el almacén de la imprenta.

EUSEBIO: Tú déjales que crean.

BEGOÑA: Voy a quedar fatal cuanto te vean en el periódico.

EUSEBIO: Bah, igual sólo sacan un cachito sin foto en una esquina de la página. Me lo ha dicho el periodista.

BEGOÑA: Lo verán de todas formas. Espero que no hayas hablado de terrorismo ni de nada por el estilo.

EUSEBIO: ¡Qué va! Cuatro bobadas.

BEGOÑA: Aitá, mira que nos metes en un lío que para qué.

Hacia las tres de la tarde, la puerta se abrió con ímpetu. Martina entró en la habitación, peripuesta como para una boda. Se había hecho la permanente. Llevaba los labios pintados, la cara empolvada y unos pendientes de amatista a juego con el vestido y los zapatos; sobre la pechera, una cadena de oro de la que pendía una medalla, también dorada, del Sagrado Corazón, y, apretado bajo el brazo, un bolso pequeño de un violeta más claro que el del vestido. A varios pasos de distancia podían percibirse los efluvios de su perfume.

EUSEBIO: ¡Ahí va Dios! ¡La marquesa de Chorrapelada!

MARTINA: Tú, a callar. ¿Ha venido el lehendakari?

EUSEBIO: No.

MARTINA: Menos mal. He subido en taxi para llegar antes. Yo creo que el taxista me ha clavado. Son unos ladrones. ¿Y el del periódico?

EUSEBIO: Ése, sí.

MARTINA: ¿No se te habrá olvidado preguntar lo del dinero?

EUSEBIO: ¡Qué coño se me va a olvidar! Lo que pasa es que el tipo no era tan espabilado como pensaba el fotógrafo. Total, que preguntemos en el Gobierno Vasco, que ahí ya nos dirán seguro.

MARTINA: ¿Por qué está la ventana cerrada? Huele a comida aquí dentro. *(Se volvió, ceñuda, a Begoña.)* ¿Has traído el ambientador?

Sin dignarse mirar a su madre, Begoña señaló con una sacudida de la cara hacia la bolsa de plástico depositada en el suelo.

MARTINA *(en tono gruñón):* Bonito lugar para poner la cámara. A ver si entra una enfermera y la pisa. *(Sacó de la bolsa la cámara de vídeo, que colocó dentro del armario, y a continuación el ambientador, con el que roció el aire, a su marido, por debajo de la cama...)*

EUSEBIO: San Dios, para ya de regar. Si con la colonia que te has puesto das olor a todo el hospital.

MARTINA: Estáis los tres en contra *mía*. Tú, ésta, el hijo. ¡Para una vez que pido algo! Respuesta: no. No por aquí, no por allá. Se sacrifica una todos los días por los demás y ¿cuál es el pago?

BEGOÑA: Oye, amá...

MARTINA: Mejor estate calladita, que bastantes cosas me has dicho esta mañana. Hacía tiempo que no me pegaba una llorera como la de hoy. Pero ahora lo primero es recibir al lehendakari. Por la noche ya hablaremos tú y yo en casa.

EUSEBIO: Entonces, ¿no vas a pasar la noche aquí?

MARTINA: ¿Yo? ¿Perder otra noche? ¿Para qué? Tan grave no estás y a mí me va haciendo falta un descanso. ¿O te crees que ayer pude pegar ojo con lo que roncáis tú y... ? *(Hizo una mueca desdeñosa en dirección a la cortina.)* Aquí tienes a tu hija. Pregúntale si le apetece pasar la noche en esa silla.

BEGOÑA: Conmigo no contéis porque estoy citada.

EUSEBIO: No hace falta que se quede nadie. Me apaño solo.

BEGOÑA: Conque ya sabéis.

MARTINA: ¿Qué sabemos?

BEGOÑA: Que a las cinco me tengo que ir. Me esperan.

MARTINA: Y si a esa hora el lehendakari aún no ha venido, ¿quién filma con la cámara?

EUSEBIO: Yo mismo.

MARTINA: ¿Tú? No me hagas reír. Si tú no sabes ni enchufar la lavadora... Y además se te tiene que ver en la película.

BEGOÑA: Llama a mi hermano.

MARTINA: Algo habrá que hacer.

EUSEBIO: ¿Dónde está el chaval?

MARTINA: En la puerta del hospital, vigilando.

EUSEBIO: ¡No me jodas que lo has dejado sin salir con los amigos!

MARTINA: Hoy tiene vigilancia. No estaba muy contento, pero ya le he dicho: si quieres que te renovemos el carné de socio de la Real tendrás que colaborar un poco con la familia, amiguito. Así que me lo he traído en el taxi. Ha venido todo el camino renegando. A mí me da igual.

EUSEBIO: Todo se arreglaría si el lehendakari *vendría* de una puñetera vez.

MARTINA: Es que ni avisan ni nada. Mucha seriedad,

en el Gobierno Vasco, no hay. ¿Entendéis por qué he puesto al hijo a vigilar abajo? Ya sabe: en cuanto llegue el coche oficial tiene que subir aquí a todo correr. Así nos pillarán preparados, con la cámara a punto y demás. Y tú *(a Eusebio),* tápate esos muslos que parecen las patas de un oso.

Las tres y media. Las cuatro.

EUSEBIO: ¿No se puede abrir esa ventana?
MARTINA: ¿Para que se vaya el olor del ambientador? La ventana se queda como está.
EUSEBIO: No hay dios que respire aquí dentro.
BEGOÑA: Y que lo digas, aitá.
MARTINA: Formáis equipo los dos, ¿no?

Se oyeron de ahí a poco, tras la cortina, tres o cuatro bascas que culminaron en el sonoro salpicón de una bocanada de vómito al estrellarse contra el suelo.

MARTINA: Lo que faltaba. Llama a la enfermera.

Eusebio apretó el botón de llamada. Medio minuto después, una enfermera distinta de la del turno de mañana entró en la habitación.

LA NUEVA ENFERMERA *(al otro enfermo):* Quieto, no te muevas.
EL OTRO ENFERMO: La hostia bendita.
LA NUEVA ENFERMERA: Calma, calma. ¿Quieres que te mida la fiebre?
EL OTRO ENFERMO: Cagalera también tengo, pues.

LA NUEVA ENFERMERA: Se te habrá cortado la digestión. ¿Qué te han dado de comer?

EL OTRO ENFERMO: Yo qué hostias sé. Lo que había.

LA NUEVA ENFERMERA *(asomó la cabeza para dirigirse a las visitantes del paciente de al lado):* Si sois tan amables, ¿os importaría esperar fuera un momentito?

MARTINA: Vale, pero date un poco de prisa, por favor. El lehendakari está al llegar.

LA NUEVA ENFERMERA: Hago lo que puedo, señora.

MARTINA: A mi marido, ¿no lo podrían poner en otra habitación? Durante unas horas, digo. Hasta que pase la visita oficial.

LA NUEVA ENFERMERA: Lo veo difícil. Tenemos la planta llena, pero si quieres ya voy a preguntar.

Martina abrió la ventana antes de salir al pasillo con Begoña. La nueva enfermera acompañó al otro enfermo al cuarto de baño. Mientras éste se lavaba y se cambiaba de pijama, hizo venir a una auxiliar, de modo que pasado un cuarto de hora desde el vómito todo volvió a estar en orden dentro de la habitación. Durante varios minutos, los dos pacientes estuvieron solos, cada uno en su cama, separados por la cortina que les impedía verse.

EUSEBIO: Para mí que usted se ha tragado demasiado deprisa la comida.

EL OTRO ENFERMO: Para una vez que como bien...

EUSEBIO: Mejor tome sus caldos y sus yogures hasta que se cure.

EL OTRO ENFERMO: Ya es pena.

EUSEBIO: Amigo, hay que cuidar la salud.

EL OTRO ENFERMO: ¿Salud? Yo, de aquí, al cementerio.

Volvió Martina sola, olisqueando el aire de la habitación con gesto de repugnancia. Estaba la puerta del cuarto de baño entreabierta; la cerró al tiempo que se llevaba una mano a la nariz. Anduvo después de un lado para otro, dentro de la parcela de su marido, disparando rociadas de ambientador.

MARTINA: No pueden cambiarte de sitio.

EUSEBIO: Aquí estoy bien.

MARTINA: Les he pedido que sólo hasta la cena. No les queda un hueco libre.

EUSEBIO: ¿Y la hija?

MARTINA: Mejor no me hables de ésa.

EUSEBIO: Seguro que habéis vuelto a discutir.

MARTINA: Se ha marchado. Y el chaval también, sin subir a saludar a su padre.

EUSEBIO: Bueno, se habrá ido con la cuadrilla.

MARTINA: A sus amigos les ha contado una historia y ahora le da vergüenza que salga la verdad en el periódico.

EUSEBIO: ¿Una historia? ¿Qué historia?

MARTINA: Que te escaldaste las piernas en el trabajo. ¡A quién se le ocurre!

EUSEBIO: Y si me ven en el periódico, ¿qué? ¿He hecho algo malo?

MARTINA: En la cuadrilla por lo visto hay algunos abertzales que entienden estas cosas como les apetece. El hijo está preocupado. Él no me lo quería contar, pero mientras veníamos en el taxi se lo he sonsacado. Me huelo que se ha vuelto un poco abertzale. Las malas compañías.

EUSEBIO: ¿Abertzale, Pello? Coño, eso sí que no me lo esperaba. Ya me jodería. ¡Después de lo que me ha pasado!

MARTINA: Tendrás que hablar con él.

EUSEBIO: A ver qué le digo.

232

Martina estuvo manipulando en la cámara de vídeo hasta dejarla lista para su uso. La colocó a continuación en una balda del armario y fue a sentarse en la silla, donde, con la cara inclinada sobre el pecho, no tardó en quedarse amodorrada. La tarde transcurría lenta y calurosa. El pasillo había vuelto a llenarse con los ruidos de costumbre.

MARTINA *(levantó ligeramente los párpados, luego de una larga cabezada):* ¿El lehendakari?
EUSEBIO *(guasón):* Se acaba de ir. No ha querido despertarte.
MARTINA: Come sal, que eres muy soso.

A Martina volvió a cogerle el sueño. Eran más de las cinco cuando se despertó.

MARTINA *(sin reparar en que Eusebio estaba traspuesto):* Voy a estirar las piernas y a ver qué se cuece por ahí. ¿Duermes?
EUSEBIO *(abrió los ojos sobresaltado):* ¿Eh, qué?
MARTINA: No aguanto más aquí dentro. Me ahogo. Nunca he sido amiga de esperar. ¡Con todo el trabajo que tengo en casa!

Salió de la habitación y volvió al cabo de tres cuartos de hora con el hastío y la desilusión pintados en la cara.

MARTINA: Nada, chico. He bajado hasta la calle. Todo está como siempre. La gente que entra y sale, los taxis, los autobuses urbanos. Van a dar las seis y a mí me da que me podía haber ahorrado los gastos de esta mañana. Ibarretxe debería saber que así no se trata a los ciudadanos. Primero nos hace esperar un montón de horas, después no aparece. Porque si dijeras que alguien del Gobierno Vasco llama: Oiga, que al lehendakari le ha salido un compromiso urgente y no puede ir al hospital. Vale, lo entiendo. Pero, hombre, ¡darnos semejante plantón!

EUSEBIO: Los políticos van a lo suyo. El pueblo les interesa un pepino.

MARTINA: Como mucho voy a estar aquí hasta las siete. Tengo en casa un cesto lleno de ropa para planchar. Tampoco quiero que el chaval venga a las tantas, como ayer, que se lo he jipado en los ojos. Se los tenías que haber visto, rojos de no haber dormido y de pimplar a base de bien. Como no había nadie en casa, aprovechó. Que si había fiestas no sé dónde. Hoy todos pronto a dormir.

EUSEBIO: Con diecisiete años yo creo que un poco le podemos dejar.

MARTINA: Me da igual que vaya a las fiestas de los pueblos. Lo que no me gusta es que luego me venga con mentiras. O que me salga un borrachingas, que bastante he llorado en la vida por culpa de su padre.

EUSEBIO: Oye, no te metas ahora conmigo.

Se abrió de ahí a poco la puerta. La enfermera asomó la cabeza por la abertura.

LA NUEVA ENFERMERA *(se dirigió con cara sonriente al otro enfermo)*: ¿Qué, cómo va eso?

EL OTRO ENFERMO: Mejor.

LA NUEVA ENFERMERA: ¿Quieres una manzanilla?

EL OTRO ENFERMO: No, deja, deja.

MARTINA: Maja, ¿se sabe algo del lehendakari?

LA NUEVA ENFERMERA: Después de lo que ha pasado, supongo que habrá suspendido la visita.

MARTINA: ¿Qué ha pasado?

LA NUEVA ENFERMERA: ¿No os habéis enterado? ETA se ha cargado a un señor en Durango. Un concejal, me parece.

MARTINA: Ahora que lo dices, algo he oído yo en el taxi. Como venía hablando con mi hijo no he prestado atención a la radio. El lehendakari, entonces, tú crees que...

LA NUEVA ENFERMERA: No te sabría decir, Martina, pero lo normal es que vaya a dar el pésame a los familiares del muerto, que atienda a los medios de comunicación, en fin, esas cosas.

Nada más marcharse la enfermera, Martina enfundó la cámara de vídeo y la metió en la bolsa de plástico junto con otras pertenencias que estaban diseminadas por las baldas del armario.

EUSEBIO: ¿Qué, te vas?

MARTINA *(en un tono blando, apagado):* ¿Te importa quedarte solo?

EUSEBIO: ¿A mí? ¡Qué va! Por la mañana me escocía un poco la izquierda, pero ahora no siento nada. Vete a casa y descansa. Has tenido un día difícil.

MARTINA: Un día perdido tontamente. Menos mal que al menos uno de la familia lo entiende.

EUSEBIO: Los hijos también lo entienden. Lo que pasa es que a veces te pones nerviosa y nos chillas y no aguantas que te lleven la contraria.

MARTINA: Bueno, bueno. Déjate de sermones, que no eres cura.

Martina se acercó a su marido, le arreó dos cachetes afectuosos, uno en cada mejilla, y para rematar un beso de despedida en la frente.

EUSEBIO: No te vayas sin dejarme unas monedas.

MARTINA *(sacó un monedero de su bolso violeta):* Lo siento, majo, pero más suelto no me queda.

EUSEBIO *(miró con aire desconcertado la única moneda que su mujer le puso en la palma de la mano):* Martina, con esto llega como mucho para una hora.

MARTINA: Para las noticias y un poco más.

EUSEBIO: Martina, no me jodas. Baja a la cafetería a que te den cambio, haz el favor.

MARTINA: Hala, no seas quejica. Mañana o pasado te van a soltar y aún estarás unos días de baja. En casa podrás ver toda la tele que quieras. *(Se dirigió a la puerta. Antes de salir al pasillo, se volvió hacia el otro enfermo.)* Que se mejore.

EL OTRO ENFERMO: Gracias.

Se quedaron los dos pacientes solos.

EUSEBIO: Es más buena que el pan, pero ¡tiene un genio!

EL OTRO ENFERMO: Son fuertes.

EUSEBIO: Ah, eso sí. Mi mujer trabaja como una burra.

EL OTRO ENFERMO: Y la mía.

EUSEBIO: Usted no tendrá por casualidad unas monedas.

EL OTRO ENFERMO: Ni una.

EUSEBIO: Joé, nos vamos a aburrir como ostras.

Alrededor de las siete y media llegó una auxiliar con las ban-

dejas de la cena. Aún había claridad en el patio, pero en la zona baja de la fachada de enfrente empezaban a espesarse las sombras de la tarde.

EUSEBIO: ¿Qué tiene usted para cenar?

EL OTRO ENFERMO: Lo de siempre. Sopa y todo blando.

EUSEBIO: Sopa también tengo yo y una tortilla de jamón de York. Si se atreve a hincarle el diente le doy la mitad.

EL OTRO ENFERMO: Ya me gustaría.

EUSEBIO: Lo digo porque a mí, de crío, cuando andaba suelto de vientre, en casa o me daban arroz blanco con zanahoria o me daban esto.

EL OTRO ENFERMO: Entonces, ¿qué? ¿Voy para allá?

EUSEBIO: ¿No podemos descorrer la cortina? Aquí ya no va a venir ni dios. *(El otro enfermo saltó fuera de la cama. Descorrida la cortina, Eusebio le pasó media tortilla y un pedazo de pan.)* A comer despacio, ¿eh?

Más tarde, ya de anochecida, Eusebio le tendió su moneda al otro enfermo para que la metiera por la ranura del televisor. Sentado cada uno en su cama, estuvieron mirando un partido de pelota a mano hasta que se cortó la imagen. Se quedaron sin saber el resultado final.

EUSEBIO: ¡Puta publicidad de los cojones! Si no es por los anuncios vemos el partido entero.

Entrada la noche, Eusebio le pidió al otro enfermo que le pusiera el somier en posición horizontal. Éste así lo hizo y después cada cual se dispuso a dormir.

EUSEBIO: Parece que le ha sentado a usted bien la cena.

EL OTRO ENFERMO: Pues sí. Esta tortilla no la devuelvo. Con ésta me entierran.

EUSEBIO: Y la parienta sin venir.

EL OTRO ENFERMO: No habrá podido. Mañana visita al hijo. Hay que madrugar.

EUSEBIO: Su hijo, ¿estudia fuera o qué?

EL OTRO ENFERMO: Ya me gustaría. Lo tienen preso por ahí abajo, en casadiós. Es mucho viaje hasta Albolote. Todo el día en autobús. Antes estaba en Canarias. Todavía peor. Vas y te dejan verlo un poco. Una cabronada. Nueve años lleva. Y los que le quedan. Libre no lo voy a ver, eso seguro.

EUSEBIO: ¿Puedo preguntar por qué está preso?

EL OTRO ENFERMO: Algo haría. No quiero ni saber. Padre soy pues, no policía. Unos dicen que si esto, otros dicen que si lo otro. En el pueblo se metieron varios en la organización y él fue detrás. O delante, tampoco sé. Mi mujer, ésa sabe, pero no solemos hablar. *(Guardaron los dos silencio durante un rato.)* Pues tenga cuidado con el hijo suyo. Esto es como lo de la botella que tiraron. La tira cualquiera y le da a cualquiera.

Eusebio no contestó. Tenía la mirada fija en las ventanas encendidas del edificio de enfrente. A veces se veía en uno de tantos cuadrados luminosos la silueta fugaz de una persona.

El otro enfermo se tapó con la sábana hasta la barbilla y estuvo cerca de diez minutos sin decir una palabra.

EL OTRO ENFERMO *(de repente, con voz delgada):* Perdón.

EUSEBIO: ¿Eh?

EL OTRO ENFERMO: Perdón.

EUSEBIO *(perplejo):* ¿Cómo, perdón?

EL OTRO ENFERMO: Perdón, *barkatu*, eso. Por lo de la botella del otro día.

EUSEBIO: ¿Qué tiene que ver usted con lo que me pasó?

EL OTRO ENFERMO: Yo me entiendo. *(Hubo otro intervalo de silencio.)* Si la parienta se entera de que pido perdón, me pega dos hostias.

Ya no hablaron más. Al poco rato se oyó en la oscuridad un murmullo leve, húmedo, similar a un sollozo a duras penas contenido.

Lippstadt, 24 de marzo de 2006

Glosario

[Con frecuencia, en los relatos que integran el presente volumen figuran vocablos y modismos procedentes del vascuence que muchos ciudadanos del País Vasco acostumbran emplear cuando se expresan en castellano. El glosario que sigue a continuación pretende servir de ayuda a los lectores poco o nada familiarizados con la lengua vasca.]

abertzale: patriota, partidario de la independencia del País Vasco.

agur: adiós.

aitá, amá: padre y madre, respectivamente. Las tildes, inexistentes en el vascuence, tratan de reproducir la pronunciación original.

amatxo: diminutivo hipocorístico de amá.

amona, aitona: abuela y abuelo, respectivamente.

arraioa!: interjección, ¡rayos!, ¡caramba!

askatu: soltar, dejar en libertad.

barkatu: perdona, disculpa.

chichari: castellanización de *zizare*, lombriz.

chorúa: castellanización de *zoro*, loco.

ekintza: acción. Léase, atentado.

Ertzaintza: institución policial de la Comunidad Autónoma Vasca.

ertzaina: miembro de la policía autonómica vasca.

euskera (o *euskara):* vascuence.

Eusko gudariak: soldados vascos, título del himno oficial del País Vasco.

gambara: en vascuence *ganbara*, desván. Léase, cabeza, cocorota.

gora ETA: viva ETA.

gudari: soldado, combatiente de la causa vasca.

herriko taberna: taberna del pueblo. Centro social en el que se reúnen personas de ideología independentista.

ikastola: escuela en que se imparte la enseñanza predominantemente en vascuence.

ikurriña: bandera del País Vasco.

jauna: tratamiento de cortesía. Literalmente, señor.

kaixo: hola.

kupela: barrica. Son típicas las de las sidrerías, de grandes dimensiones.

lehendakari: presidente. Por antonomasia, el del Gobierno Vasco.

musu: beso.

ongi etorri: bienvenido/a.

perretxico: En vascuence, *perretxiko*. Nombre de una seta comestible.

poliki-poliki: despacio, con cuidado. En vascuence, la duplicación del adjetivo actúa como intensificador del significado.

polita: guapa, linda.

potolo: rechoncho, regordete.

siquiña: castellanización de *zikin*, sucio.

talde: grupo. Léase, comando de acción.

tori: toma, coge.

txakurra: perro.

txerri: cerdo.

txoko: rincón.

txutxu-mutxu: cuchicheando, bisbiseando.

Últimos títulos